DEDICADO A:

JESUS y JANET

POR:

PASTOR:
MAURICIO JUAREZ
NUNCA SE DETENGAN
AQUI HAY SECRETOS
REVELADOS CREANME.

FECHA:

5/28/09.

EL REINO DE DIOS
Y SU JUSTICIA

EL REINO DE DIOS
Y SU JUSTICIA

APÓSTOL GUILLERMO MALDONADO

Nuestra Visión

Alimentar espiritualmente al pueblo de Dios
por medio de enseñanzas, libros y prédicas; y expandir
la palabra de Dios a todos los confines de la tierra.

El Reino de Dios y su Justicia

ISBN-10: 1-59272-274-1
ISBN-13: 978-1-59272-274-7

Primera edición 2007

Portada diseñada por:
ERJ Publicaciones

Publicado por:
ERJ Publicaciones
13651 SW 143 Ct., Suite 101, Miami, FL 33186
Tel: (305) 233-3325 - Fax: (305) 675-5770

Categoría:
Reino

Dedico este libro a la persona que a lo largo de todos estos años, se ha convertido en mi más fiel amigo y consejero: el precioso Espíritu Santo. Él es quien vierte la revelación y sabiduría del Padre sobre mi vida, y quien me ha guiado hacia un profundo entendimiento del reino de Dios y su justicia en la Tierra.

En esta ocasión, mi gratitud es para un hombre que por su enorme generosidad y corazón para el Reino, ha compartido conmigo las preciosas revelaciones que el Espíritu Santo le ha dado durante los muchos años que lleva en el ministerio.

Apóstol Alan Vincent, públicamente le agradezco hoy todo lo que en privado me ha enseñado. Usted ha sido para mí un padre y un modelo en el área de la revelación apostólica. Gracias a su impartición, mis ojos fueron abiertos y el Espíritu Santo pudo revelarme nuevas dimensiones del reino de Dios y su justicia. Sin su invaluable aporte, no me hubiera sido posible escribir este libro. ¡Gracias!

TABLA DE CONTENIDO

INTRODUCCIÓN

¿Puede escuchar el clamor...? ¿Puede sentir el dolor...? ¿Puede ver el rostro de los miles y miles de niños, mujeres, jóvenes y hombres...? ¿Puede oír el clamor de la naturaleza, del mar y la tierra, los valles y las montañas, los ríos y los desiertos...? A una, toda la Creación clama por la redención de la maldición. ¡Redención! ¡Salvación! ¡Justicia! ¡Paz! ¡Amor! El hijo de Dios escuchó el clamor... y abrió el camino. Vino a la Tierra y trajo consigo un reino... inconmovible. Jesús vino al mundo a proclamar el reino de Dios y su justicia; justicia para los pobres en espíritu, para los quebrantados de corazón, para los que viven en miseria, para los enfermos, para los que lloran, para su creación.

Todo aquel que se acerca a Dios puede sentir el dolor de su corazón por la humanidad. El anhelo de redención es más fuerte en el corazón del Creador. Él clama con gran dolor y angustia por la salvación de sus hijos. Por eso envió a Jesús, el Príncipe de Paz, a restaurar su reino en medio de los hombres...

En los años que llevo de conocer a Dios, Él me ha ido acercando cada vez más a su corazón, y su dolor se ha hecho mi dolor. Desde el principio, he sentido una fuerte pasión por rescatar al perdido, al que no conoce a Dios, al que no conoce su propósito, su destino ni su relación con el Padre celestial. Tengo pasión por los millones de personas que viven en oscuridad, en miseria espiritual, emocional y financiera, cuando el Padre tiene abundancia de bienes en su casa. Mi pasión ha sido llevarles las buenas nuevas del Reino, quitarles las vendas espirituales, para que puedan ver lo lejos que están del hogar. El Padre está esperando, con los brazos abiertos, que sus hijos retornen a casa para poner un anillo en su dedo, vestirlos de lino fino y prepararles un banquete de bienvenida: *"...porque éste mi hijo era muerto, y ha revivido; se había perdido, y es hallado"*.

El reino de Dios, la casa del Padre, es el gobierno divino en el cual el hombre puede vivir en total libertad, justicia y abundancia de todos los bienes. Hoy estamos en el tiempo de la restauración de todas las cosas, y una de las principales es el establecimiento en la Tierra del reino de Dios. Por muchos, muchos años, la Iglesia ha creído en Jesús y ha predicado la salvación, mas no ha vivido en la casa del Padre, esperando ir al Cielo para hacerlo. Sin embargo, el Espíritu Santo (quien nos guía a toda verdad y nos revela al Padre), nos dice que debemos establecer el Reino en la Tierra, y vivir según sus leyes y beneficios hoy. No tenemos que esperar llegar al Cielo para ser sanos de las enfermedades, ser libres de las ataduras, alcanzar justicia, salir de la pobreza o vencer a Satanás. Jesús venció al diablo en la cruz, llevó nuestro pecado, dolor y enfermedades, y nos devolvió la autoridad y el poder para atar y desatar en la Tierra y en el Cielo.

Le invito a entrar en la más fascinante revelación que está inundando nuestra Iglesia hoy: la revelación del reino de Dios y su justicia. En mi incansable jornada hacia el conocimiento del corazón del Padre, Él me ha revelado preciosas perlas de su inmensa sabiduría, las cuales quiero compartir e impartir al pueblo. Estamos en un tiempo de reforma, transformación y restauración. La guerra contra el reino de las tinieblas es cada vez más violenta, porque el reino de Dios se está extendiendo a todos los confines de la Tierra. La ciudad celestial se está posando sobre nuestras ciudades y naciones, trayendo la justicia del Reino por el poder del Espíritu Santo; trayendo luz a la oscuridad, orden a la confusión, justicia a la opresión, amor al corazón de los hombres. Porque *"...toda la tierra será llena de su gloria..."*, *"...gloria como del unigénito del Padre"*, *"...Dios de toda la tierra será llamado"*, *"...y el principado será sobre su hombro... lo dilatado de su imperio no tendrá límite... confirmándolo en juicio y en justicia desde ahora y para siempre..."*.

"El tiempo se ha cumplido... y el reino de Dios se ha acercado...".

Capítulo 1

El principio y la restauración del reino

En el principio, Dios creó los cielos y la tierra, y todo era bueno en gran manera, y como corona de su creación, hizo al hombre a su imagen y semejanza; y le dio dominio y señorío, autoridad delegada para gobernar la Tierra en comunión con su creador. El hombre venía a ser parte de la relación de Dios Padre, Hijo y Espíritu Santo; fue creado para habitar con Dios, para compartir y gobernar con Él.

"[26]Entonces dijo Dios: Hagamos al hombre a nuestra imagen, conforme a nuestra semejanza; y señoree en los peces del mar, en las aves de los cielos, en las bestias, en toda la tierra, y en todo animal que se arrastra sobre la tierra". Génesis 1.26

Desde el momento de la Creación, Dios estableció este principio en su palabra: Solamente un ser humano (un espíritu con un alma, que habitara en un cuerpo físico) podría ejercer dominio sobre la Tierra. Por eso después de soplar aliento de vida sobre el hombre, Dios le dio autoridad para gobernar y señorear sobre toda su creación.

"[7]Entonces Jehová Dios formó al hombre del polvo de la tierra, y sopló en su nariz aliento de vida, y fue el hombre un ser viviente". Génesis 2.7

Cuando Adán fue conectado al mundo espiritual por medio del soplo de Dios, recibió autoridad para ejercer dominio sobre la Tierra (porque un cuerpo sin aliento divino no puede gobernar). La autoridad que Adán recibió era delegada, lo que significa que solamente funcionaría mientras estuviera en sumisión y conectado al reino o gobierno de Dios.

Dios le dio a Adán instrucciones específicas para gobernar el huerto del Edén

"[16]Y mandó Jehová Dios al hombre, diciendo: De todo árbol del huerto podrás comer; [17]mas del árbol de la ciencia del bien y del mal no comerás; porque el día que de él comieres, ciertamente morirás". Génesis 2.16, 17

Hasta ese momento el hombre no tenía pecado; su relación con el Padre era abierta, nada los separaba. Éste era el período de la inocencia, cuando el hombre se encontraba dentro del reino de Dios y no existía para él enfermedad, dolor ni sufrimiento, porque vivía en total dependencia de Dios. Adán recibía la vida de su creador, y no tenía ninguna necesidad de manejarse independientemente de Él. Mientras vivía en total obediencia al Padre, estaba bajo la protección y el gobierno de su Reino: era inmune al ataque de Satanás, el enemigo de Dios. En ese entonces, el hombre era inmortal dentro de un reino absolutamente impenetrable. Satanás no tenía forma de invadirlo. Se puede concluir que la impenetrabilidad del Reino era dada por la obediencia o dependencia de la voluntad del hombre a la voluntad o gobierno de Dios.

¿Cuál fue la tentación del enemigo para que el hombre cayera?

La tentación fue la "independencia". El enemigo tentó al hombre con la idea de gobernarse a sí mismo y ser igual a Dios; sin que el hombre supiera que esto era equivalente a rebelión. El ser humano no fue creado para gobernarse a sí mismo; no posee esa capacidad. Todo lo que tiene es la facultad de escoger quién lo gobierna, Dios o Satanás. Por eso si caemos en la mentira de la independencia, el diablo tomará, automáticamente, el control del gobierno de nuestras vidas y de todo lo que nos pertenece.

¿Qué es la independencia?

La independencia es actuar al margen o separadamente de Dios. Es la autonomía de la voluntad humana. Y esta separación es equivalente a rebeldía. En términos más simples, el Nuevo Testamento llama a esto: actuar según la carne; es decir, ser egoísta, autosuficiente, satisfacer los impulsos de los deseos carnales y no los del espíritu, el cual está conectado a Dios. Por esta razón, la Biblia nos instruye a crucificar la carne cada día y a negarle sus derechos, para vivir conforme al espíritu.

Podemos concluir que la independencia es vivir fuera del gobierno directo de Dios; es tomar nuestras propias decisiones, sin depender de Él y sin tener en cuenta su voluntad ni su consejo.

¿Cómo ocurrió esta tentación?

"[4]Entonces la serpiente dijo a la mujer: No moriréis; [5]sino que sabe Dios que el día que comáis de él, serán abiertos vuestros ojos, y seréis como Dios, sabiendo el bien y el mal. [6]Y vio la mujer que el árbol era bueno para comer, y que era agradable a los ojos, y árbol codiciable para alcanzar la sabiduría; y tomó de su fruto, y comió; y dio también a su marido, el cual comió así como ella. [7]Entonces fueron abiertos los ojos de ambos, y conocieron que estaban desnudos; entonces cosieron hojas de higuera, y se hicieron delantales". Génesis 3.4-7

Lo que el enemigo le sugiere al hombre es lo siguiente: ¿Por qué vivir bajo el gobierno y la autoridad de Dios o someterte a Él si dentro de ti mismo existe el poder para desarrollarte y ser igual a Dios? ¡Y lo puedes hacer en tus propias fuerzas! ¿Por qué no te atreves a hacerlo tú mismo? Todo será igual en tu vida, excepto que ahora tendrás el mismo poder y autoridad que Dios. Ya no vas a estar bajo su gobierno, sino que tú vas a estar a cargo de ti mismo. Ésta es la mentira más grande que el hombre haya podido creer, y constituye el fundamento de todas las religiones y sectas del mundo actual. Éstas animan al ser humano a vivir su propia vida, a ser independiente y gobernarse a sí mismo; y la mayoría de ellas plantea que el hombre no necesita a Dios. Adán y Eva cayeron en la tentación de la independencia; y sin saberlo, con esta decisión, se salieron de la protección del Reino. Eso era todo lo que Satanás buscaba. Él sabía que si lograba infiltrar el espíritu de independencia en el hombre, lo separaría del Padre –de hecho, eso fue lo que causó su propia caída–. De este modo, Satanás logró que el hombre y la mujer salieran del Reino.

Para Adán fue la sorpresa, cuando, al decidir gobernarse a sí mismo, se vio expulsado del Reino, se hizo vulnerable y vino su caída. Esto abrió una brecha en el muro impenetrable del Reino. Las palabras de la serpiente hacían parecer que esto no era malo; el hombre tendría conocimiento del bien y del mal, y sería igual a Dios. La oferta parecía muy atractiva. Pero hubo algo que la serpiente nunca les dijo, y es que esto los llevaría a la muerte, a la separación completa de su fuente de vida. Cuando finalmente se dieron cuenta, ya era muy tarde; de un momento a otro, habían salido del gobierno de Dios y entrado al gobierno de Satanás.

Adán y Eva no tuvieron la intención de pecar; no fue ése su motivo. Ellos solamente querían probar aquel fruto que se veía bueno, y ser iguales a Dios; pero terminaron en pecado y expulsados de la presencia de su creador. Fueron desconectados de su fuente de vida e identidad. De esta forma, Satanás podía gobernarlos y Dios perdía su amistad y dominio sobre ellos.

Las buenas intenciones no son suficientes para lograr hacer lo correcto delante del Padre, y así permanecer bajo su protección y recibir su bendición.

¿Qué sucedió después de la caída del hombre?

En cuanto el hombre y la mujer aceptaron las sugerencias del enemigo de Dios, la protección del Padre fue removida de sus vidas y la autoridad delegada para señorear la Tierra les fue robada. Esto era, precisamente, lo que Satanás buscaba; él quería el dominio para sí, la autoridad para gobernar la Tierra. Dios quitó su presencia y el hombre fue cortado de la fuente de vida y de su comunión con el Padre. Para Adán y Eva fue triste y doloroso independizarse de su creador.

Esto fue así en el principio, y hoy sigue siendo así. El pecado de independencia y la maldición se han transmitido de generación a generación. Miles de personas mueren a temprana edad por accidentes, enfermedades o tragedias, debido a que viven en independencia de Dios; no tienen su protección.

La independencia es una de las tentaciones más fuertes que, actualmente, sufren los líderes e individuos; sobre todo los que son muy inteligentes, talentosos y ricos, y no creen necesitar a Dios. Aquellos que ceden a la tentación, terminan en destrucción. Ningún hombre o mujer puede darse el lujo de vivir independientemente de Dios.

La independencia hizo que Satanás cayera. Adán y Eva, lejos de tener la intención de pecar, sólo esperaban seguir siendo moralmente rectos, pero usando su propia fuerza moral o justicia para llegar a ser como Dios. Pero nada de esto sucedió de la manera que ellos pensaron; es más, después de su caída, toda la Creación cayó bajo el dominio de Satanás. Es decir, no sólo el ser humano entró en maldición, sino la Creación entera. Todo lo que estaba bajo la autoridad y gobierno del hombre, pasó a estar bajo la autoridad y gobierno de Satanás. Por eso hasta el día de hoy, naciones enteras, familias, hombres y mujeres sufren enfermedades, dolor y muerte, y la naturaleza sufre desórdenes en su funcionamiento. Hay mucha gente que se pregunta: Si Dios es tan bueno y justo, ¿por qué hay tanta gente con hambre? ¿Por qué hay tanta destrucción, enfermedad, terremotos, huracanes y niños maltratados y abusados? La respuesta es muy sencilla: El hombre se está gobernando a sí mismo, vive independiente, fuera del reino de Dios. En otras palabras, la culpa no es de Dios, sino de aquellos que han escogido vivir sin Él.

¿Qué podemos aprender de todo esto?

La lección clara y fundamental aquí, es que ningún ser humano puede vivir independientemente de su creador, porque eso lo conducirá a la destrucción. Adán comprendió tarde, que la independencia es dolorosa y conduce a la muerte. Por tal motivo, cuando se vive en independencia, no se puede resistir el pecado ni se tienen fuerzas para vencer al diablo ni a sus demonios. Ningún ser humano tiene, en sí mismo, la fuerza espiritual para resistir al diablo; porque el primer hombre –Adán– le cedió su autoridad. Satanás, como creación de Dios, estaba bajo la autoridad y el gobierno del hombre; pero éste no usó su autoridad, y en cambio, cedió a la tentación de sus mentiras. Satanás era menor que el hombre, pero éste lo hizo mayor, al cederle su autoridad y su territorio. Por lo tanto, el hombre tampoco tiene las fuerzas para resistir la tentación de pecar. La única manera de vencer la tentación y al enemigo, es estar unido a Dios.

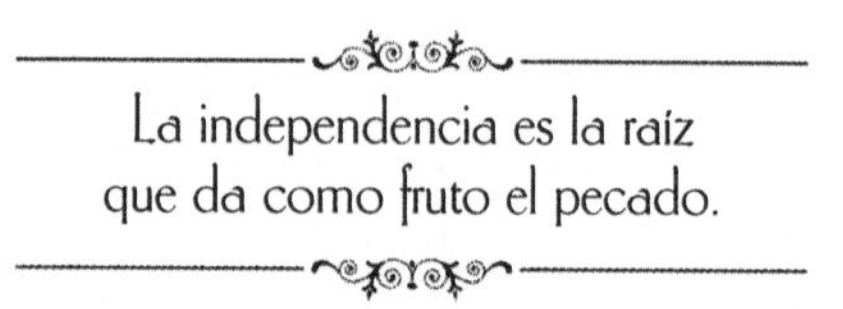

En la actualidad, hay millones de personas que no pueden dejar el pecado ni tienen la fuerza para resistir las tentaciones, porque se gobiernan a sí mismas, y viven en total rebelión a las leyes divinas. Muchos hombres y mujeres quieren dejar la pornografía, los deseos compulsivos de comer, la droga, la mentira, el adulterio, las pastillas para dormir, el engaño y demás, pero no tienen la fuerza para ser libres porque no quieren someterse a Dios.

De un momento a otro, el pecado del hombre y la nueva autoridad de Satanás convirtieron el mundo en un caos. Pero el Padre no se quedó cruzado de brazos viendo cómo su creación era destruida. Inmediatamente, proveyó un medio para devolver al hombre a su posición y autoridad en el Reino.

¿Cómo Dios restauró el Reino al hombre?

En el momento de la caída del hombre, Dios tenía dos opciones:

- Juzgar al diablo, destruir su reino y echarlo al Infierno hasta el juicio final.
- Buscar una forma de pagar el precio por la restitución del hombre al Reino, para luego destruir a Satanás.

La primera opción no era viable porque, si Dios –por su justicia– juzgaba a Satanás y su reino, tenía que juzgar al hombre también –dado que ya estaba dentro del gobierno enemigo–. Con este juicio, toda la humanidad hubiera terminado en el Infierno.

La segunda opción era buscar un hombre sin mancha, que pagara por el pecado de todos y recuperara la autoridad sobre la Tierra. Y así, a través de este sacrificio, salvar al hombre de la condenación que Satanás sin duda recibirá. Dios amó tanto al hombre que decidió salvarlo, enviando a su hijo como pago por la restitución, la reconciliación con Él y la restauración de su reino en la Tierra.

Hay muchas personas que se preguntan: Si Dios es más poderoso que el diablo, ¿por qué no lo destruye para siempre? Dios no destruye al diablo porque su justicia le obligaría a destruir también al hombre; por esa razón, mantiene la puerta de salvación abierta para el ser humano. En este proceso, ha tenido que permitir que el diablo traiga mentira y engaño, y que gobierne por un corto período. Por eso no lo ha juzgado ni destruido todavía.

El diablo sigue mintiendo a los seres humanos, convenciéndolos de que tienen derecho a la independencia, que ésta es mucho mejor que el gobierno benevolente y totalitario de Dios. Y hay personas que prefieren vivir esclavas del pecado que someterse al gobierno de Dios. Se llenan la boca diciendo que son independientes, inteligentes y libres, mientras usted oye cómo arrastran las cadenas de esclavitud que los mantienen presos. ¡No son felices! ¡No tienen vida en su interior! No se dan cuenta de que están atados por el enemigo y de que, lejos de la libertad, subsisten en una constante opresión y tormento, y su visión está bloqueada: viven en oscuridad.

La independencia de Dios ha llevado al hombre a la depresión, a la enfermedad, el sufrimiento, el dolor, la soledad, la miseria, la ruina y el pecado. Por eso el Padre celestial buscó un hombre que no fuese con la corriente del mundo, que obedeciera su palabra, hiciera su voluntad y restaurara el Reino. Pero, ¿por qué Dios buscó un hombre para hacer esto? ¿Por qué no usó su omnipotencia?

"[31]Y ahora, concebirás en tu vientre, y darás a luz un hijo, y llamarás su nombre JESÚS". Lucas 1.31

Dios tenía que regirse por el mismo principio que Él estableció desde la Creación –todo espíritu que quiera hacer algo en la Tierra debe tener un cuerpo–. Por eso buscó un hombre para salvar a la humanidad... pero no lo encontró. Entonces, Él mismo se hizo hombre; para que, por medio de su muerte, se salvara toda la raza descendiente de Adán; y para que a través de su resurrección, redimiera a toda la Tierra del dominio de Satanás y destruyera el reino de las tinieblas y sus obras. Jesús vino a la Tierra, nació de una virgen, vivió treinta y tres años y medio en completa obediencia al Padre, murió por todos los pecados de la humanidad (derramando su sangre en la cruz), fue al Infierno tres días y tres noches a pagar por nuestras iniquidades y, al tercer día, resucitó conquistando la autoridad para gobernar la Tierra.

Desde el momento en que Jesús nació, hasta el momento en que se fue de la Tierra, caminó en total dependencia del Padre. Como hombre, obedeció totalmente a Dios, en todas las áreas, y se dejó guiar por el Espíritu Santo, durante todo su ministerio. Por causa de esto, pudo restablecer en la Tierra el reino de Dios.

"[30]No puedo yo hacer nada por mí mismo; según oigo, así juzgo; y mi juicio es justo, porque no busco mi voluntad, sino la voluntad del que me envió, la del Padre". Juan 5.30

La autoridad en la cual Jesús se movía para sanar a los enfermos, enseñar, predicar y echar fuera demonios, venía de su total obediencia al Padre. Era como un hombre común y corriente, pero en completa dependencia de Dios. La diferencia entre el primer Adán y el segundo, el cual es Jesús, fue que el primero decidió vivir independientemente de Dios, mientras el segundo eligió la dependencia del Padre. Cuando Jesús resucitó como hombre e hijo obediente, se le dio todo poder y autoridad en el Cielo y en la Tierra; con su resurrección, dio nacimiento a una nueva especie, un nuevo hombre, victorioso y lleno de gloria, reconectado a su fuente de vida: el Creador.

"[18]Y Jesús se acercó y les habló diciendo: Toda potestad me es dada en el cielo y en la tierra". Mateo 28.18

¿Qué hace Jesús cuando recupera la autoridad en la Tierra?

Jesús hizo todo lo que Dios Padre le ordenó para poder recuperar la autoridad perdida, y luego se la entregó a su iglesia, a cada simple creyente. Ahora el reino de los Cielos en la Tierra, es establecido por los hijos de Dios.

"[32]No temáis, manada pequeña, porque a vuestro Padre le ha placido daros el reino". Lucas 12.32

El gobierno de Dios
opera sólo en aquellos que obedecen su voluntad,
y el enemigo no los puede tocar.

Cuando actuamos en total dependencia del Espíritu Santo, somos inmunes a los ataques del enemigo. Pero si escogemos la independencia, nosotros mismos abrimos brecha en el Reino, y el enemigo nos roba la autoridad y nos lleva a la destrucción.

Jesús nos ha trasladado a su reino

"[13]...el cual nos ha librado de la potestad de las tinieblas, y trasladado al reino de su amado Hijo". Colosenses 1.13

La tentación de la independencia o rebelión sigue latente, aun después de la resurrección de Jesús; Él no nos redimió de ella, porque es algo que nosotros debemos manejar. Poder elegir qué camino vamos a tomar, es parte de nuestro libre albedrío. Podemos escoger vivir dependiente o independientemente de Dios como un acto de nuestra propia voluntad.

El conflicto entre los dos reinos siempre está presente; el hombre decide de quién depende y quién lo gobierna. Jesús nos abrió la puerta de salvación y reconciliación con el Padre celestial; Él nos provee la vía, ya pagada, para ser libres de la esclavitud, y nosotros decidimos si queremos ser libres o seguir siendo esclavos de Satanás. La libertad que el enemigo ofrece es falsa, porque nos ata a las pasiones de la carne y nos hace esclavos de nuestros propios deseos. Dios sugiere escoger la vida; pero hay hombres que a pesar de conocer la verdad, escogen la muerte.

¿Cuál fue el primer mensaje que Jesús predicó en la Tierra?

"[2]...Arrepentíos, porque el reino de los cielos se ha acercado". Mateo 3.2

Jesús no vino a predicar el perdón de pecados, sino el reino de Dios. El perdón de pecados es una condición para entrar al Reino. La primera palabra que Jesús pronuncia es "arrepentíos".

¿Qué significa "arrepentíos"?

La palabra **arrepentíos** es el vocablo griego *"metánoia"*, que significa un cambio total de mente y de forma de vida. Jesús está diciendo que si no vivimos en la actitud fundamental del arrepentimiento, no es posible que Dios pueda lidiar con nuestros pecados. Resulta imposible cambiar la manera de vivir si primero no se cambia el modo de pensar. El verdadero arrepentimiento trae un cambio permanente en la mente, una mentalidad de Reino, totalmente renovada.

Según Jesús, ¿de qué tenemos que arrepentirnos?

Necesitamos arrepentirnos de gobernarnos a nosotros mismos; es decir, de la independencia que marcó nuestra previa condenación. Luego, debemos movernos al gobierno de Dios y depender totalmente de Él; abandonando, por completo, nuestra pasada manera de vivir. Jesús nos dice que necesitamos arrepentirnos de estar en control de nuestras propias vidas, y volver al reino de Dios, el cual viene con toda su autoridad y orden sobre aquellos que entran a él.

Ilustración: Todas las religiones del mundo funcionan con un mismo patrón: enseñan buenos principios morales, pero no dependen de Dios para cumplirlos. Inducen al ser humano a dirigir su vida en sus propias fuerzas, generando un conjunto de ritos inútiles –pues nadie tiene el poder de ser bueno por sí mismo–. Esto constituye el pecado de independencia, y es lo primero de lo cual debemos arrepentirnos. Ningún ser humano puede salvarse ni cambiar por sí mismo; tampoco puede alcanzar el verdadero éxito por su propia capacidad o sabiduría. Sólo cuando entregamos nuestra vida a Dios para que Él la gobierne, podemos ser genuinamente cambiados y verdaderamente exitosos.

Es muy fácil decir que el reino de Dios ha venido a nosotros, aunque para saber si esto es cierto, deberíamos considerar las siguientes preguntas: ¿Quién está a cargo de su vida: Dios o usted? ¿Quién toma las decisiones: usted o Dios? ¿A quién y a qué le dedica la mayor parte de su tiempo? ¿Por qué está estudiando esa carrera? ¿Quién lo decidió: Jesús o usted? ¿Por qué está viviendo en ese lugar: lo escogió usted mismo o fue Dios? ¿Quién le guió a comprar o abrir ese negocio? ¿Quién decidió que tuviera ese socio? ¿Qué hace con su dinero? ¿Quién le envió a la iglesia donde asiste? ¿Quién le guió a casarse con esa persona? ¿Quién le indica las decisiones que toma a cada momento?

Las decisiones basadas en la voluntad de Dios
nos llevan a ser exitosos en el mundo y en el Reino.

Usted tiene dos alternativas: ser gobernado por Dios o gobernar su vida en sus propias fuerzas. Si escoge la segunda, estará permitiendo que el espíritu de independencia entre a su corazón; y por consiguiente, estará fuera del reino, así como de la voluntad de Dios. Y, automáticamente, será gobernado por Satanás y estará sujeto al reino de las tinieblas. En esta guerra, no hay tierra vacante; se está en un reino o se está en el otro. La independencia da origen al pecado de rebelión contra el reino de Dios. No obstante, si se corta la independencia, el pecado cesa y la rebelión se disipa.

Ilustración: Esto es como el dueño de un automóvil que al encontrar a un chofer profesional, dice: "yo no sé manejar este vehículo. Lo he intentado toda mi vida, pero siempre hago la maniobra incorrecta y termino fuera del camino. Por favor, toma el control completo; yo seré feliz, de hoy en adelante, siendo sólo un pasajero". Ésta es la actitud de una persona que se ha arrepentido completamente; no tiene problemas en ceder el control completo de su vida al conductor experto: Dios.

¿Cómo podemos saber si estamos viviendo en total obediencia al Reino y a la voluntad de su rey?

Hay varias señales que nos pueden demostrar si estamos viviendo en dependencia y obediencia al Reino y a Dios. Veamos algunas de ellas:

- Cuando reconocemos que Jesús es el Señor y Dios absoluto de nuestra vida, incluyendo nuestras posesiones materiales.
- Cuando obedecemos a los impulsos del Espíritu Santo, sin meditar ni argumentar acerca de lo que nos pide que hagamos.
- Cuando nos comprometemos a hacer su voluntad, antes de saber qué nos va a pedir.
- Cuando estamos dispuestos a servirle, sin importar el tiempo, el lugar o las circunstancias.
- Cuando agradar a Dios excede nuestro deseo de agradar a otros o a nosotros mismos.
- Cuando vemos a Dios como la fuente que suple todas nuestras necesidades y deseos.
- Cuando conocer a Dios y tener una comunión íntima con el Espíritu Santo, viene a ser la obsesión de nuestra vida.
- Cuando nuestra prioridad es Jesús, por encima de toda relación humana, incluyendo nuestra propia familia.
- Cuando se ha tomado la decisión de obedecer a Jesús aun en lo que no es razonable, cómodo, ganancioso ni conveniente.
- Cuando se ha tomado la decisión de seguir a Jesús como un discípulo, y tomar su cruz cada día, negándose a uno mismo.

Esto es vivir en total obediencia y sujeción al Reino y a la voluntad de su rey. Cuando vivimos de esta manera, podemos decir que estamos siendo gobernados por Dios y que su reino ha llegado a nuestras vidas –considerando, siempre, que todo esto no significa ser perfectos ni sin faltas–.

Hoy día millones de creyentes están tratando de cambiar el mundo, y de traer el reino de Dios a su familia, a su ciudad, a su iglesia. Pero lo triste es que el reino de Dios ni siquiera ha llegado a sus propias vidas. Los cristianos debemos entender que no podemos cambiar una sociedad corrupta y sin valores morales, si nosotros mismos no nos sometemos al gobierno y autoridad de Dios. Todo lo que hagamos: sacrificio, adoración u obras, carecerá de valor alguno si desobedecemos las leyes del Reino.

¿Habrá áreas de desobediencia en nuestra vida? ¿Habrá rebeldía en nuestro corazón hacia el reino y el señorío de Jesús? Hoy decida comprometerse a vivir, día a día, totalmente dependiente de Dios, y a obedecer por medio de la fe, los principios y mandamientos de su reino. Así veremos la gloria de Jesús manifestada en nuestro hogar y en nuestra sociedad.

La desobediencia y la rebeldía instauran el reino de Satanás en nuestra vida, nuestra casa y nuestra sociedad.

Capítulo 2

Qué es el reino de Dios

Antes de comenzar a estudiar y aprender acerca del reino de Dios, tenemos que pedir al Espíritu Santo que nos dé sabiduría y revelación para entender sus misterios. Es importante que nos humillemos y reconozcamos que tenemos hambre de conocer, entender y obedecer las normas del reino de Dios; pues la revelación no viene cuando no hay voluntad de acción.

Hoy en día, pocas personas saben qué es el reino de Dios, debido a que no se enseña en las iglesias ni en los institutos bíblicos. El Reino no es parte del *currículum* de las grandes instituciones de estudios teológicos. Algunas personas creen que el reino de Dios consiste en asistir a la iglesia; otras creen que será en el Cielo, después de que Jesús arrebate a la Iglesia; y otras, ni siquiera piensan en él, no tienen conciencia de que existe ni del poder que posee. Por estas razones, son tantas las personas que han asistido a la iglesia por años, sin que su vida sea cambiada. Es muy importante entender que hay una gran diferencia entre asistir a la iglesia y entrar al reino de Dios.

La revelación del reino de Dios tiene el poder para cambiar la vida de los seres humanos.

Para entender el Reino, necesitamos mentalidad de Reino; pues es un sistema de pensamientos, forma de vida, principios, leyes y fundamentos que sólo pueden ser entendidos gracias a la revelación que el Espíritu Santo trae a una mente dispuesta a aceptarlos. El mensaje del Reino nos desafía a cambiar nuestra vida por completo. En este tiempo, desde muy pocos púlpitos se enseña o predica del reino de Dios; en cambio, se habla mucho de denominaciones, religiones y otros asuntos de menor importancia.

En su paso por la Tierra, Jesús habló más de cien veces del Reino y su justicia, mientras que de la Iglesia lo hizo sólo dos. Si algo es mencionado más de cien veces, definitivamente, tiene que ser muy importante. Mejor aún... el hombre más poderoso que haya existido, el único que era cien por ciento Dios y cien por ciento hombre, hizo del reino de Dios y su justicia, el tema central de sus enseñanzas y de su vida. Es más, fue tan importante para Él, que nos mandó a incluirlo en nuestra oración y a buscarlo como prioridad.

"[2]Y les dijo: Cuando oréis, decid: Padre nuestro que estás en los cielos, santificado sea tu nombre. Venga tu reino. Hágase tu voluntad, como en el cielo, así también en la tierra". Lucas 11.2

Hay muchas personas, cristianos, sectas, teólogos, escritores, científicos, intelectuales, predicadores, maestros, apóstoles, profetas, pastores que hablan del reino de Dios, pero en realidad no entienden qué es verdaderamente. No tienen una revelación clara de su significado ni del impacto que puede tener en la vida del hombre y en la Tierra.

Antes de entrar de lleno al contenido de este capítulo, veamos los tipos de reinos que han existido a través de la historia, y los que existen hoy día. De este modo, entenderemos mejor el reino o gobierno de Dios. Según fueron descritos en el libro de Daniel, los siguientes son los gobiernos que han existido:

- **El Imperio Babilónico.** Era gobernado por una persona, una cabeza totalmente despótica. El sistema de gobierno era teóricamente perfecto, pero para que funcionara efectivamente, necesitaba una cabeza perfecta. Y usted y yo sabemos que no hay ningún hombre perfecto, por lo tanto, este gobierno no funcionó, no permaneció.

- **El Imperio Medo-Persa.** Era un gobierno fundamentado en las leyes; de tal manera que, una vez aprobada una ley, no podía ser anulada. Todo sistema de hombres que se ha convertido en ley presupone imperfección, y tarde o temprano, terminará produciendo injusticia hacia el pueblo.

- **El Imperio Griego.** Era gobernado por el poder del intelecto, y estaba fundado en el debate y la argumentación (retórica), donde todo el mundo podía opinar, y la voluntad de la mayoría establecía el gobierno. Esto es lo que hoy se conoce como democracia.

  Personalmente, creo que éste es el más decente y razonable de todos los sistemas conocidos (aunque la opinión de la mayoría, rara vez es la correcta. De ahí que algunos estudiosos hayan adoptado el término "tiranía de la mayoría"). El problema con este tipo de gobierno es que está basado en el humanismo moderno, el pensamiento sintético, donde no existen verdades absolutas, ni hay un claro y verdadero liderazgo.

  En la actualidad, la mayor parte de las cabezas de gobiernos democráticos en el mundo, gobiernan según la opinión pública, las conveniencias económicas, los grupos de influencia y los medios de comunicación.

- **El Imperio Romano.** Al igual que el anterior, era un gobierno del pueblo o democrático (representado por el Senado de la República). Este gobierno estaba basado en reglas colonialistas que sojuzgaban al pueblo, arguyendo supremacía racial y política. Su creencia era que gobernaba a otras razas por el bien de las mismas. Para ello, este imperio utilizaba la fuerza militar y una administración efectiva. Esta forma de gobierno, en su mejor estado, se convierte en un patriarcado benevolente, pero nunca permite a los colonizados, crecer y madurar para asumir una responsabilidad gubernamental.

- **El Reino inconmovible de Dios.** Este gobierno es perfecto, soberano, eterno, con autoridad absoluta, y con un rey absoluto como cabeza. Es totalitario, pero también benevolente, y todo aquel que decide someterse a él, encuentra completa libertad.

Todo gobierno humano es imperfecto;
sólo el reino de Dios es perfecto, inconmovible y efectivo.

En el mundo, hay siete reinos operando actualmente:

1. El reino animal

- Las aves del cielo
- Los animales de la Tierra
- Los peces del mar

2. El reino mineral

- El oro
- El metal
- Las piedras preciosas
- El petróleo

3. El reino vegetal

- Plantas con flores (se reproducen por semilla)
- Plantas sin flores (no se reproducen por semilla)

4. El reino de los planetas o planetario

- Planetas tipo terrestres
- Planetas gaseosos

El sistema solar se divide en:

- Planetas interiores
- Planetas exteriores

5. El reino de los hombres

El reino de los hombres es como lo vimos en la descripción de los distintos tipos de gobierno que han existido. También en el presente, hay reinos de hombres en algunos países, como por ejemplo: el Reino Unido, España, etcétera.

6. El reino de las tinieblas

- Satanás
- Demonios o ángeles caídos

7. El reino de Dios: soberano y sempiterno

- Jesús, Rey, cabeza del reino
- El hombre, ciudadano del Reino, y ejecutor de la voluntad del Rey en la Tierra
- Los ángeles: guerreros, intercesores, ministradores

El reino de Dios gobierna con autoridad suprema sobre todos los reinos de este mundo.

"[17]La sentencia es por decreto de los vigilantes, y por dicho de los santos la resolución, para que conozcan los vivientes que el Altísimo gobierna el reino de los hombres, y que a quien él quiere lo da, y constituye sobre él al más bajo de los hombres". Daniel 4.17

La prioridad es buscar el reino de Dios y su justicia:

"[33]Pero busca (apunta y procura) primero todo su reino y su justicia (su manera de proceder y su rectitud), entonces todas estas cosas juntas se te concederán". Mateo 6.33 - Biblia Amplificada

Ilustración: La mayoría de las personas se afana por el dinero, sin darse cuenta de que el dinero pertenece al reino vegetal. Entonces, ¿por qué dejar que el reino de las hojas nos gobierne? ¿Por qué no buscamos el reino soberano de Dios y dejamos que todos los demás reinos nos sean añadidos?

Jesús nos enseña que antes de cualquier bien material, debemos tener un anhelo, un deseo ardiente de buscar el reino de Dios y su justicia. Nuestra prioridad no puede ser el negocio, el trabajo, la comida, la bebida, las riquezas, la posición, la fama o los estudios;

nuestra prioridad debe ser el reino del Cielo. Luego, todo lo demás será añadido, incluyendo nuestra propia vida.

¿Qué es el reino de Dios?

La palabra **reino** es el vocablo griego *"basileía"*, que significa gobierno, dominio. El reino de Dios es entonces, el gobierno divino. No es un lugar físico, tampoco es comida ni bebida, sino justicia, paz y gozo; es una jurisdicción que abarca todo lo creado y tiene total influencia sobre los habitantes de la Tierra. Este reino tiene absoluto dominio, sólo donde el hombre lo establece.

Establecer el Reino es extender
las virtudes de Dios a todo lo que está alrededor.
Esto cambia la atmósfera de un lugar.

¿Cómo gobierna el reino de Dios?

El reino de Dios es invisible y gobierna el mundo visible desde el espiritual. Este gobierno usa el cuerpo de un hombre visible para gobernar en la Tierra, creación visible de Dios. El Señor es invisible al ojo humano, pero más real que la misma Creación que vemos y palpamos todos los días. Recordemos que el hecho de no ver a Dios ni a su reino, no significa que no existan. El reino de Dios es un gobierno espiritual, invisible, pero tiene una Constitución que lo hace un gobierno legal, con una autoridad legal. Por eso puede ejercer justicia.

El reino de Dios, ¿es un lugar físico?

El reino de Dios no es material (no tiene edificios ni calles, no es tangible). Es una esfera de relaciones entre Dios y el hombre, y entre los hombres mismos. Allí, sin lugar a dudas, gobierna Dios. El Reino es una relación de total obediencia del hombre hacia el Señor; bajo un despotismo total, pero benevolente, ejercido por medio de la paternidad divina.

¿Cuál fue la definición del Reino según Jesús?

"[10]Venga tu reino. Hágase tu voluntad, como en el cielo, así también en la tierra". Mateo 6.10

Jesús nos enseña que oremos para que su reino venga a la Tierra. Él conecta ese gobierno invisible con el visible por medio de la declaración del hombre, quien tiene la autoridad en la Tierra. En cualquier lugar donde la voluntad de Dios es hecha en forma total, su reino es establecido. Según Jesús, el reino de Dios es hacer y obedecer, enteramente, su voluntad en la Tierra, así como es obedecida en el Cielo.

¿Cómo se hace la voluntad de Dios en el Cielo?

En el Cielo, la voluntad de Dios se establece a través de un sistema de gobierno totalitario, de obediencia absoluta a la autoridad suprema de Dios. En el Cielo, hay una sola voluntad, la del Rey Jesús, a la cual todos los habitantes responden y obedecen en forma total y absoluta, sin cuestionarla ni razonarla. La respuesta siempre es "Sí, Señor". Esto podría interpretarse como una atadura y un control acérrimo, pero no lo es. El reino de Dios no se rige por democracia sino por teocracia; y ésta opera así en toda esfera; tanto en el Cielo como en la Tierra y el Universo entero.

Cuando usted obedece las leyes del Reino de forma voluntaria, encuentra la completa libertad que ningún sistema de gobierno humano puede proporcionarle. La voluntad de Dios se sustenta en tres virtudes: es buena porque tiene el sentir de guiar hacia lo bueno; es agradable porque le va bien al cuerpo, al alma y al espíritu; y es perfecta porque es lo mejor que le puede pasar al hombre, ya que lo hace vivir feliz. Cuando uno conoce esta libertad, tiene la plena convicción de que no le cambiaría nada.

El reino de Dios es hacer la voluntad del rey
en la Tierra, como se hace en el Cielo.
Esto trae paz, justicia y gozo a los hombres.

Sin embargo, cuando usted obedece radicalmente a una propuesta ideológica como el socialismo, el capitalismo o la denominada tercera vía, encuentra una total atadura. Esto es debido a que ningún gobierno humano es perfecto, completo ni apto para gobernar al hombre en libertad.

Los gobiernos humanos hacen todo lo posible para gobernar con justicia a sus habitantes, pero les resulta muy difícil porque funcionan con sistemas falibles, nacidos bajo principios y leyes de hombres falibles. Por eso es importante traer el gobierno de Dios a las naciones de la Tierra. Cuando un hombre comienza a gobernar conforme a los principios, las leyes y la mentalidad del reino de Dios, las familias, las ciudades y las naciones son transformadas para bien.

¿Cómo hace Dios que su voluntad se cumpla en la Tierra, de la misma manera que en el Cielo?

Desde el principio, Dios designó que Él gobernaría la Tierra por medio de un hombre, un ser humano que tuviera un cuerpo físico y eligiera establecer su voluntad en esta esfera material.

"[4]Digo: ¿Qué es el hombre, para que tengas de él memoria, y el hijo del hombre, para que lo visites? [5]Le has hecho poco menor que los ángeles, y lo coronaste de gloria y de honra. [6]Le hiciste señorear sobre las obras de tus manos; todo lo pusiste debajo de sus pies". Salmos 8.4-6

Dios puso a Adán y a Eva a gobernar sobre toda la Creación con una autoridad delegada por Él, la cual solamente funcionaría mientras estuvieran bajo su gobierno y voluntad.

Dios no puede establecer su reino ni hacer su voluntad en la Tierra, sin la colaboración del hombre; no porque no tenga la capacidad o la facultad para hacerlo, sino porque Él mismo lo escogió de esa forma. Recuerde que Él no viola su palabra ni su justicia. El gobierno de Dios tiene leyes que deben cumplirse; tiene una voluntad individual y colectiva que debe ejecutarse. Por ende, Él es el primero en someterse a estas leyes. Pero todo esto no se puede llevar a cabo en la Tierra si no hay un hombre o mujer obediente a Dios y a su gobierno. Hay ciertas palabras usadas en la Escritura para referirse a gobernar, como: dominio, señorear, sojuzgar, reinar. Todas éstas son sinónimas de gobernar.

En suma, el reino de Dios es el gobierno divino, en el cual Él domina de forma total; no es un lugar físico, palpable, sino una jurisdicción de relaciones. Es un gobierno invisible, que se rige por la voluntad del Rey de forma totalitaria. Pero tenga en cuenta, que hay una diferencia entre un totalitarismo nacido en la Tierra y uno nacido en el Cielo. Los sistemas de gobierno terrenales como el comunismo, el nazismo u otros representan invariablemente, una atadura, ya que en el diseño original de Dios el hombre no fue creado para gobernar a sus semejantes.

Como consecuencia, cada vez que se habla del reino de Dios, se está haciendo una declaración de guerra contra el reino de las tinieblas; porque este último ha usurpado los territorios que pertenecen al gobierno de Dios. No obstante, cuando un hombre decide someterse al Reino y hacer la voluntad de su rey, el gobierno de las tinieblas tiembla porque sabe que deberá desocupar el territorio.

El reino de Dios es el orden total, la autoridad y voluntad de Dios implantándose en un territorio. Es una fuerza invasora y poderosa que desplaza el reino de Satanás, así como la luz desplaza las tinieblas.

El reino de Satanás sólo puede funcionar en los lugares donde el gobierno divino aún no ha llegado.

Otro punto clave a conocer es que el gobierno de Satanás funciona bajo las mismas leyes que el reino de Dios. Es decir, sólo puede ser establecido en la Tierra a través de un ser humano. Satanás es un espíritu, y como tal, no tiene la facultad ni el derecho de operar directamente sobre el mundo material. Esto deja todo el poder en manos del único ser espiritual que posee un cuerpo físico: el hombre. Él es quien decide qué reino gobierna su vida, su familia y su ciudad; él alinea su voluntad o libre albedrío a cualquiera de los dos reinos. ¿Está dispuesto usted a ser ese hombre o mujer que establezca el gobierno de Dios en la Tierra? ¿Está dispuesto a someterse a sus leyes? ¿O prefiere establecer y extender el reino de Satanás?

¿Qué clase de reino o gobierno es el de Dios?

A continuación, estudiaremos algunas características del Reino, que nos revelarán qué clase de gobierno tiene Dios en el Cielo:

- **Es un reino inconmovible**

  "[28]Así que, recibiendo nosotros un reino inconmovible, tengamos gratitud, y mediante ella sirvamos a Dios agradándole con temor y reverencia". Hebreos 12.28

  Hoy en día, todo está siendo sacudido; el mundo físico, el mundo espiritual, el político, el religioso, etcétera. Pero en medio de cualquier sacudimiento, el reino de Dios está firme e inconmovible, y es un ancla segura para nuestra alma. El reino de Dios es eterno, nunca cambia ni se altera.

- **Gobierna sobre todo reino o gobierno humano**

  "[12]Las riquezas y la gloria proceden de ti, y tú dominas sobre todo; en tu mano está la fuerza y el poder, y en tu mano el hacer grande y el dar poder a todos". 1 Crónicas 29.12

  Los reinos existentes son los seis que estudiamos anteriormente, y todos están dentro de la influencia del reino de Dios. Cada miembro de cada uno de estos reinos, podría creer que la vida termina en ese reino en particular; es decir, dentro de lo conocido para cada uno. Pero la buena noticia del reino de Dios es que es el supremo, el más alto, y gobierna sobre todos los reinos del mundo, de lo conocido y de lo desconocido.

  "[19]Jehová estableció en los cielos su trono, y su reino domina sobre todos". Salmos 103.19

  Cuando se piensa con la mentalidad del reino de Dios, se vive por encima de las leyes de los otros reinos –pues sus formas de pensar, leyes y orden son superiores a cualquier sistema humano–.

❖ **Funciona bajo el principio de una cabeza ejecutiva clara y definida**

Dios es uno, pero manifestado en tres personas: Padre, Hijo y Espíritu Santo; con una misma mente, un mismo corazón, intención, propósito, pasión y destino. Si bien el Padre es la cabeza ejecutiva de los tres, esto no lo hace más Dios que el Hijo o el Espíritu Santo.

"[6]Porque un niño nos es nacido, hijo nos es dado, y el gobierno será sobre su hombro y su nombre será Consejero Admirable, Dios Fuerte, Padre Eterno (de la eternidad), Príncipe de Paz. [7]Del aumento de su gobierno y de la paz no habrá fin, sobre el trono de David y sobre su reino, para establecerlo y confirmarlo en juicio y justicia desde el (último) tiempo hasta ahora y para siempre. El celo del Señor de los ejércitos hará esto". Isaías 9.6, 7 - Biblia Amplificada

Lo primero que dijo Dios acerca de su hijo fue que el gobierno estaría sobre sus hombros. Si usted revisa el verso, verá que el gobierno y la paz van juntos. Por eso las victorias en la guerra sólo se pueden asegurar si se establece el gobierno correcto.

Donde no está el gobierno de Dios, no hay paz,
porque ésta sólo viene bajo el sistema divino.

El reino de Dios, en esencia, funciona bajo una pluralidad de gobierno. Es decir, está compuesto por muchos individuos, pero con una cabeza ejecutiva bien definida. No existen los comités. Los gobiernos por medio de comités o por cabeza autocrática son fáciles de administrar, sin embargo los dos incurren en equivocaciones, y eventualmente, conducen al caos y a la anarquía. En la trinidad, Dios Padre es la cabeza; en la Iglesia, Jesús es la cabeza; en una iglesia local, el apóstol es la cabeza; en la familia, el hombre es la cabeza. Pero en todo esto, es importante que la cabeza sea padre y siervo; pues es la única manera de ejercer un gobierno con efectividad.

❖ **Es un reino soberano con autoridad absoluta**

El gobierno de Dios es un reino soberano, con una sola voluntad y una sola autoridad, absolutas y definitivas. Siempre está en lo correcto, nunca se equivoca.

"[3]¡Cuán grandes son sus señales, y cuán potentes sus maravillas! Su reino, reino sempiterno, y su señorío de generación en generación". Daniel 4.3

❖ **Es regido por un Dios soberano:** desde la eternidad hasta la eternidad.

"[15]...la cual a su tiempo mostrará el bienaventurado y solo Soberano, Rey de reyes, y Señor de señores, [16]el único que tiene inmortalidad, que habita en luz inaccesible; a quien ninguno de los hombres ha visto ni puede ver, al cual sea la honra y el imperio sempiterno. Amén". 1 Timoteo 6.15, 16

❖ **Es soberano:** hace y dicta, cuando quiere y como quiere.

La palabra **soberano** es el vocablo griego *"despótes"*, que significa amo, señor, gobernador absoluto, que impone una autoridad absoluta y suprema. De este vocablo *"despótes"*, deriva la palabra en español déspota: alguien que gobierna con autoridad suprema y absoluta. La diferencia con el despotismo del hombre es que el del Reino es benevolente y absolutamente falto de egoísmo; Dios no nos gobierna con maltrato ni golpes, sino con amor y por medio de su paternidad.

Ahora que conocemos las características del Reino y cómo funciona su gobierno, podemos disfrutar de sus recursos y de los beneficios de estar bajo su autoridad. Nuestra confianza descansa en saber que todo lo que viene de Dios es para nuestro bien, para traernos paz, bienestar y, sobre todo, libertad. Entrar al reino de Dios significa que ya no vivimos más en esclavitud.

Una vez que sabemos qué es, ¿cuál es nuestra responsabilidad con el reino o gobierno de Dios?

Antes no conocíamos el reino de Dios y vivíamos en independencia del mismo. Una vez que aceptamos a Jesús y entendemos lo beneficioso que es estar en su perfecta voluntad y bajo el abrigo de su gobierno, debemos desarrollar ciertas actitudes que nos ayudarán a permanecer y crecer en Él:

- **Rendir toda nuestra voluntad.** Debemos dejar que el Reino nos gobierne para que su voluntad sea hecha en nosotros.

- **Ver el Reino.** La única forma de ver el gobierno invisible de Dios es naciendo de nuevo. El nuevo nacimiento es la puerta de entrada para todos aquellos que anhelan ver el Reino manifestado en sus vidas.

  "[3]Respondió Jesús y le dijo: Te aseguro, muy solemnemente te digo, que a menos que una persona nazca de nuevo (otra vez, de arriba), nunca podrá ver (conocer, estar relacionado con y experimentar) el reino de Dios". Juan 3.3 - Biblia Amplificada

- **Creer en el Reino.** La palabra **creer** literalmente significa dejarse persuadir, confiar en, apoyarse en. Jesús nos dijo que no se trata sólo de hablar del Reino o de usar su lenguaje, sino también de creer en el Reino.

  ¿Cómo se cree en el Reino?

  Se cree en la existencia del Reino por medio de la fe. Para esto tenemos que creer que es el gobierno de Dios; creer que es el total orden divino, la autoridad y la voluntad absolutas de Dios. Debemos creer que es la respuesta para todas las necesidades del hombre. La respuesta no es la religión, la cual no da al hombre lo que necesita. Sólo el gobierno de Dios puede suplir todas las carencias o necesidades que se presentan en la vida de los seres humanos.

Predicar el Reino

"[2]Y los envió a predicar el reino de Dios, y a sanar a los enfermos". *Lucas 9.2*

La palabra **predicar** es la traducción del griego *"kerússo"*, que significa proclamar en voz alta, anunciar públicamente hasta el punto de ofender. Tenemos que predicar el Reino dondequiera que vayamos: en la tienda, en la oficina, en la fábrica, el negocio, la escuela, el colegio, la universidad. Tenemos que proclamar el reino de Dios desde nuestro 'púlpito diario'; es decir, allí donde estamos todos los días.

Extender el Reino. La única forma de hacer avanzar el reino de Dios es la fuerza, la violencia. No se puede hacer pacíficamente, pues siempre tendremos conflicto con el reino de las tinieblas. Por eso debemos estar disponibles y ser obedientes para extender su reino donde Dios nos envíe.

Debemos rendir nuestra voluntad a Dios
y cumplir nuestra responsabilidad de ver el Reino,
creer en él, predicarlo y extenderlo.

Capítulo 3

La justicia del reino de Dios

A través de todos los evangelios, el mensaje de Jesús siempre fue el reino de Dios y su justicia. Todo lo que Él habló tenía que ver con estos dos. En un momento, Jesús hablaba del Reino, y en otro, enseñaba acerca de la justicia, el elemento más esencial del gobierno de Dios. Por eso es de suma importancia que entendamos lo que esta última significa y que la practiquemos en nuestra vida.

En el tiempo en que vino Jesús, la justicia de los judíos era dada o basada en la ley, el servicio en el templo y los actos de amor y bondad. Los judíos practicaban una justicia externa (orar en las plazas para ser vistos, ofrendar para ser vistos, dar "tocando trompeta" para que todos supieran, etcétera). Pero Cristo trae la justicia del corazón, que es producto de un corazón circuncidado, transformado y renovado por creer en Él. Mucha gente practica hoy la justicia de los fariseos: da para quedar bien, ora para ser vista, anuncia cuando está ayunando, ofrenda esperando ser reconocida, etcétera.

La justicia de los fariseos no funciona en el Reino,
sólo la que nace de un corazón conforme al de Dios.

"[1]Guardaos de hacer vuestra justicia delante de los hombres, para ser vistos de ellos; de otra manera no tendréis recompensa de vuestro Padre que está en los cielos". Mateo 6.1

¿Qué es la justicia del Reino?

La palabra **justicia**, tanto en el idioma hebreo como en el griego, tiene un sinnúmero de significados, todos concordantes. Para descubrir y entender mejor esta palabra, tomaremos varios de los vocablos hebreos y griegos que aparecen con mayor regularidad en el Antiguo y Nuevo Testamento. Y a lo largo del capítulo, haremos un estudio más profundo de cada uno de ellos.

Los vocablos hebreos para justicia son: *"mishppát"*, *"tsédec"*, *"tsedacá"*; y los griegos son: *"dikaiosúne"*, *"ekdikesis"*, *"díkaios"*, *"eleemosune"* y *"krísis"*. Cuando ponemos juntos todos los significados de estas palabras, nos proveen el espectro completo que abarca este concepto:

Justicia: derecho, rectitud, vindicación, causa, prosperidad, atributo de Dios para gobernar con imparcialidad y equidad; salvación, rectitud moral, obras de justicia, carácter santo, equidad de carácter, compasión ejercida hacia el necesitado, condenación, retribución, juicio; absolver, justificar; ser para después hacer; ejecutar venganza o juicio. Al leer estas definiciones bíblicas, encontramos que la justicia del reino de Dios tiene cinco grandes significados. Existen más, pero éstos son los más usados, tanto en el Antiguo como en el Nuevo Testamento.

1. La justicia de Dios es para salvación del hombre

Uno de los significados de la palabra justicia es salvación, justificación, ser absuelto de pecados, absolver. Antes de que Jesús viniera a la Tierra, la raza humana completa, estaba atada a su pecado, y condenada a la perdición. El libro de Isaías narra la condenación de la humanidad. En ese tiempo, Israel había disfrutado de años de creciente prosperidad económica, pero había caído en una seria declinación moral y espiritual. La idolatría a otros dioses era común, los ricos oprimían a los pobres, las mujeres descuidaban a sus familias buscando los placeres carnales; muchos sacerdotes y profetas de Dios se habían entregado a las borracheras y placeres, y los amos o señores oprimían a sus trabajadores, al pobre y a la viuda –trataban a la mujer como basura–. Los ricos, en el disfrute de su prosperidad, practicaban actos religiosos, mantenían la liturgia y observaban las fiestas establecidas, pero su corazón estaba lejos de Dios. Todo lo que hacían era desagradable ante los ojos de Jehová. Por eso Él llamó a sus justicias "trapos de inmundicia", y envió al profeta Isaías con un mensaje de arrepentimiento, salvación y restauración.

La idolatría, adoración a otros dioses,
no responde a la justicia divina;
más bien, trae el juicio de Dios sobre una región.

Cuando Jesús vino, estaba ocurriendo lo mismo que en el tiempo de Isaías: no se hacía justicia al huérfano, no se ayudaba al extranjero, ni se amparaba a la viuda. El pueblo estaba en rebeldía contra Jehová, y se había ido en pos de otros dioses, del dinero, las riquezas y los placeres. La mentira, la maldad y la iniquidad habían ganado el corazón del pueblo, y esto desagradó a Dios. La justicia y el derecho habían desaparecido.

"[14]Y el derecho se retiró, y la justicia se puso lejos; porque la verdad tropezó en la plaza, y la equidad no pudo venir. [15]Y la verdad fue detenida, y el que se apartó del mal fue puesto en prisión; y lo vio Jehová, y desagradó a sus ojos, porque pereció el derecho". Isaías 59.14, 15

Como dijimos, Dios siempre había buscado un hombre justo, puro y dispuesto para que hiciera justicia y restaurara los derechos del pueblo, pero no lo encontró.

"[16]Y vio que no había hombre, y se maravilló que no hubiera quien se interpusiese; y lo salvó su brazo, y le afirmó su misma justicia". Isaías 59.16

¿Qué hizo Dios cuando vio que no había ni tan sólo un hombre o mujer que hiciera justicia?

"[17]Pues de justicia se vistió como de una coraza, con yelmo de salvación en su cabeza; tomó ropas de venganza por vestidura, y se cubrió de celo como de manto, [18]como para vindicación, como para retribuir con ira a sus enemigos, y dar el pago a sus adversarios; el pago dará a los de la costa". Isaías 59.17, 18

Dios mismo se hizo hombre en la persona de su hijo Jesús, no solamente para traer justicia y salvación, y restaurar el derecho del pueblo de Israel, sino también los de cada ser humano. Jesús, el hombre-Dios que vino a esta Tierra, tenía dos virtudes indispensables para restaurar la justicia:

"[7]Has amado la justicia y aborrecido la maldad; por tanto, te ungió Dios, el Dios tuyo, con óleo de alegría más que a tus compañeros". Salmos 45.7

❖ **Jesús amaba la justicia**

Esto, más que un deseo, es pasión por restaurar el derecho y llevar la salvación a los perdidos; una pasión que ardía en Jesús y que nada podía apagar. Él tenía hambre y sed de ver el derecho prevalecer.

❖ **Jesús odiaba la iniquidad**

No se puede ser justo si antes no se odia la maldad, la mentira, el engaño, la soberbia y el orgullo. La iniquidad es exactamente opuesta a la justicia; significa obrar injustamente, torcer el derecho.

De acuerdo al versículo que leímos en Isaías, Jesús mismo se vistió con el traje de justicia para traer salvación a una humanidad en pecado, sin esperanza, condenada a la muerte y a la destrucción. Jesús se hizo hombre, vivió treinta y tres años y medio en la Tierra, caminó en perfecta obediencia, fue a la cruz y allí llevó nuestros pecados, rebeliones, iniquidades, enfermedades y dolores. Él pagó por nuestros pecados en la cruz; fue muerto y sepultado, y al tercer día, resucitó con todo poder y autoridad para justificar, por medio de la fe, a todos aquellos que crean en Él.

La primera parte de la justicia de Dios tiene que ver con que Él es justo con los pecadores –éste es el asunto que tuvo que resolver antes de la fundación del mundo–. Dios ama al hombre, pero éste cayó en pecado, y su justicia lo obliga a lidiar con el hombre de forma recta y perfecta, ya que el asiento de su gobierno es la justicia. Dios tiene que lidiar con el hombre dentro de los estándares divinos, los cuales son perfección y santidad. Él no puede ver la iniquidad, odia el pecado y nunca miente.

La justificación de Dios hacia nosotros
es la declaración legal de que somos justos.

Entonces, encontramos una gran tensión entre el perfecto amor de Dios, su justicia y su santidad. Todo el que se allegue a Él tiene que ser santo. La ira de Dios debe revelarse contra toda injusticia y falta de santidad. Si bien, por otro lado, su amor y su misericordia quieren manifestarse, Él tiene que actuar justamente ante sus ojos y, aceptablemente, dentro de sus normas de santidad.

¿Cuál era la condición del hombre y del mundo antes de Cristo?

"[11]No hay quien entienda, no hay quien busque a Dios. [12]Todos se desviaron, a una se hicieron inútiles; no hay quien haga lo bueno, no hay ni siquiera uno. [23]por cuanto todos pecaron, y están destituidos de la gloria de Dios". Romanos 3.11, 12, 23

Todos los hombres pecaron... Si Dios no hubiese tenido misericordia, cada uno de nosotros hubiese ido al Infierno. Y si alguien se hubiese levantado y dicho: "¡Señor, haznos justicia!", Dios hubiese contestado con juicio de condenación para todos, pues no hay uno bueno. Nadie podía ni puede pararse delante de Dios y decir: "Yo merezco el Cielo", pues todos estábamos destituidos de la gloria de Dios. Por eso Él dio a su hijo, Jesús, como sacrificio por medio de la fe en su sangre, para manifestar su justicia.

"[25]...a quien Dios puso como propiciación por medio de la fe en su sangre, para manifestar su justicia, a causa de haber pasado por alto, en su paciencia, los pecados pasados". Romanos 3.25

La palabra **propiciación** significa satisfacer, pagar, justificar. Jesús, por medio de su sacrificio, fue propiciación para la raza humana; pagó para satisfacer la ira de Dios contra el pecado del hombre.

Ilustración: Imagínese un juez de la ciudad, que tiene un juicio público que aparece en la primera plana de todos los periódicos. Además, no hay duda de que el individuo que va a ser juzgado *es* culpable. En dada situación, la justicia tiene que ser vista, debe ser hecha públicamente. Durante el juicio, todas las pruebas acusan al reo y reclaman justicia. Pero de repente, el juez se baja de su estrado, se quita las ropas de juez y dice a los testigos y al fiscal: "Yo voy a pagar la deuda. Yo tomo su culpa. Yo me hago culpable. Júzguenme a mí, y yo recibiré el castigo por él". Imagine la sorpresa de todo el mundo, al ver que quien tenía que condenar al reo, toma la culpa y recibe la condena.

Eso fue, precisamente, lo que hizo Jesús por nosotros, fue juzgado y humillado públicamente, ante los principados y potestades, los ángeles y la gente. Murió y pagó la deuda para que nosotros fuéramos justificados.

Existen dos tipos de justicia

- **La justicia que viene por las obras**

  La justicia, por medio de la ley, es a través de las obras, y se hace para ganar méritos delante de Dios; pero nadie puede ser justificado por medio de ella, no importa cuánto creamos, ayunemos, demos al prójimo, estudiemos la Biblia ni cuánto bien hagamos. No significa que las obras no sirvan ni que debamos dejar de hacerlas. Debemos seguir haciéndolas, pero no para ganar el favor de Dios, sino por amor a Él y a nuestro prójimo, como fruto del Espíritu Santo en nuestras vidas.

La justicia por obras
no tiene el poder de justificarnos ante Dios,
sólo la fe en Jesús tiene este poder.

❖ La justicia que viene por la fe

La justicia, por medio de la fe, "habla". La diferencia entre la justicia por obras y la justicia por fe es que la justicia que viene por las obras nunca, bajo ninguna circunstancia, nos podrá justificar; pero la justicia por la fe en Jesús, nos hace justos como Cristo.

"[6]Pero la justicia que es por la fe dice así: No digas en tu corazón: ¿Quién subirá al cielo? (esto es, para traer abajo a Cristo); [7]o, ¿quién descenderá al abismo? (esto es, para hacer subir a Cristo de entre los muertos). [8]Mas ¿qué dice? Cerca de ti está la palabra, en tu boca y en tu corazón. Ésta es la palabra de fe que predicamos: [9]que si confesares con tu boca que Jesús es el Señor, y creyeres en tu corazón que Dios le levantó de los muertos, serás salvo. [10]Porque con el corazón se cree para justicia, pero con la boca se confiesa para salvación". Romanos 10.6-10

Tenemos que confesar con la boca y creer con el corazón que Jesús es el hijo de Dios; entonces seremos justificados, justos como Jesús. Creer y aceptar a Jesús nos confiere su justicia sin que tengamos que hacer nada. Por supuesto, después Él nos llevará a través de las experiencias de justicia. La justicia está en nosotros por medio de la fe, pero debemos pasar procesos para vivirla y manifestarla. Esto constituye las experiencias de justicia. La justicia de Dios es revelada de fe en fe, de modo que lleguemos a ser como Jesús y actuar como Él. Éste es el evangelio del Reino. Pablo enseña que el que confiesa con su boca que Jesús es el Señor, será salvo. Señor es el vocablo griego *"kúrios"*, que es el título dado a aquel que tiene el derecho legal de la vida y de la muerte sobre otros. Tenemos que confesar que Jesús es nuestro Señor y la absoluta autoridad sobre nuestra vida. Debemos creer en nuestro corazón, que Él resucitó de entre los muertos y su justicia nos será conferida por medio de la fe.

La justicia que viene por fe, tiene dos facetas:

- **La justicia *imputada* o conferida**

  Esta justicia nos fue dada, puesta a nuestra cuenta, sin que nosotros hiciéramos nada, solamente por creer en Jesús; y nos fue dada antes de manifestarse en nuestra vida.

- **La justicia impartida**

  Ésta es la que se manifiesta para experimentar la justicia en nosotros cada día, la que nos lleva a las experiencias de justicia.

Éste es un asunto de fe, no de obras, dado a través de una relación cercana con Dios. Una vez *imputada*, la justicia se vuelve una experiencia diaria, impartida por el Espíritu que mora en nuestro interior. Dios nos cambia de fe en fe, de justicia en justicia, de gloria en gloria, hasta ser la imagen de Jesús.

De la *imputación* a la *impartición*, hay varios grados o niveles que pasar, los cuales se van alcanzando de fe en fe. Cuanto más usted confiesa la justicia, más real se vuelve en su vida; cuanto más cree, más *impartición* recibe y mayor rectitud moral, santidad y madurez vienen a su vida. No tenemos que hacer nada para ser justos y santos, sólo creer y confesar. Confesar la justicia es hablar con fe lo que Dios habla y permitir que su Santo Espíritu guíe nuestros actos. Cuando la justicia del Reino termine su obra de transformación en nosotros, seremos tan justos como Jesús. ¡Gloria a Dios!

Ilustración: Una cosa es que su jefe le llame el día de pago y le diga: "Te tengo un regalo, aquí está tu salario". Usted va a decir: "Esto no es un regalo, yo trabajé para ganármelo"; pero algo muy diferente es que usted no haya trabajado durante todo ese mes y su jefe le diga: "Te tengo un regalo, aquí está tu salario, aunque no hayas trabajado". Así mismo, Dios puede llevarnos de los grandes desastres que hemos hecho con nuestra vida, a ser personas exitosas y bendecidas. Esto se logra, cuando creemos y recibimos su justicia por fe, sin tratar de ganarla por obras.

Si una persona puede creer
que Dios es capaz de justificarla individualmente,
entonces puede creer por el mundo entero.

¿Cómo nos justifica Jesús?

"[1]Justificados, pues, por la fe, tenemos paz para con Dios por medio de nuestro Señor Jesucristo". Romanos 5.1

Nosotros somos justificados por medio de la fe en Cristo; nuestras faltas, pecados e iniquidades son absueltos y se nos *imputa* la justicia de Jesús. Así sucedió con nuestro padre Abraham. Él fue justificado por su fe, no por sus obras; y de la misma manera, le fue *imputada* la justicia.

"[6]Y creyó a Jehová, y le fue contado por justicia". Génesis 15.6

¡Qué maravilloso es saber que Dios no nos pagó conforme a nuestras obras! El castigo y la condenación que debían venir sobre nosotros fueron sobre su hijo Jesús. Él llevó nuestra maldad e iniquidad. Nuestra justificación no fue por obras, sino por gracia, por medio de la fe en Él y en *su* obra redentora. Jesús hizo esto para que cada uno de nosotros sea un hombre o una mujer de gran rectitud moral, con un carácter santo como el de aquel que nos redimió.

"[29]Si sabéis que él es justo, sabed también que todo el que hace justicia es nacido de él". 1 Juan 2.29

Dios nos declaró justos, limpios, justificados, absueltos de culpa y de pecados, pero no justificados por nuestras obras, pues eso es imposible de lograr en nuestra propia fuerza. De ser así, la salvación no sería por gracia. Fuimos justificados por fe, declarados justos por creer en Jesús, a través de su gracia. Éste es el principio de la manifestación de la justicia de Dios: salvar al hombre para que después, transformado en justo, honrado, recto, pueda ser una persona de bien que practica la justicia del Reino. Si traemos su justicia a la Tierra, estamos estableciendo el reino de Dios.

2. La justicia del Reino es ser recto, moralmente intachable delante de Dios

La justicia de Dios que se manifiesta en este caso, significa:

- Ser recto, intachable, correcto conforme al estándar o la persona de Jesús.
- Es la calidad de vida, los actos rectos; vivir rectamente o en rectitud delante de Dios.

Dios no elige ser justo, Él es la justicia.

Ilustración: El gobierno de la ciudad emite leyes y normas para sus ciudadanos; si usted las conoce y las obedece, entonces es justo delante de ese gobierno.

En nuestro caso, todo comenzó con arrepentirnos de vivir fuera de las leyes y reglas del gobierno de Dios. Luego, empezamos a obedecer esas leyes y reglas y, como consecuencia, hoy somos justos. Esto no porque hayamos ganado esa justicia con nuestras obras, sino porque Dios nos la dio. Ahora somos rectos, justos e intachables ante sus ojos, tal como lo Jesús es. Podemos actuar rectamente delante de Dios pues tenemos la justicia *imputada* que nos llevó a experimentar la justicia impartida. Todo esto es por medio de la fe y no por las obras que hayamos hecho.

Si soy una persona justa, significa que todo lo que hago es recto delante de los ojos de Dios. Él es mi estándar, no el mundo. Mi justicia o rectitud es de acuerdo a las leyes, reglas y principios de su gobierno. Cuando el hombre se gobierna de acuerdo a otros estándares, ajenos a los del Reino, se sale del mismo y viene a ser injusto. Cuando una persona no vive recta o justamente ante los ojos de Dios, tiene temor o terror de estar en su presencia, como ocurrió con Adán y Caín. Es horrible ser *no-recto* o presentarse injusto ante Dios; pero más terrible aún será vivir la eternidad sin Él.

Si vamos a vivir en la presencia de Dios, la única forma de hacerlo es caminando en forma justa, recta y correcta todos los días y en todo lo que hagamos y pensemos. Bajo la ley, nadie podía ser justo; pero bajo la gracia, todos podemos serlo. Dios nos *imputó* su justicia para vivir en ella por medio de la fe.

Cuando el hombre recibe el reino de Dios, comienza a sentir un gran deseo de ser justo. Si usted no quiere ser justo, recto y moralmente intachable, si esto no tiene atractivo para usted, entonces no puede permanecer ni vivir dentro del gobierno de Dios.

Cuando uno tiene revelación de qué es la justicia –en este caso: vivir recto, correcto, moralmente intachable delante de los ojos de Dios–, entonces siente un gran deseo y pasión por vivir justamente –como un hombre sediento que va en pos del agua–. Así podemos vivir de fe en fe, de justicia en justicia, y el reino de Dios será una realidad en nosotros. Sólo entonces, nuestra prioridad será buscar el reino de Dios y su justicia.

Es decir, nadie puede hacer verdadera justicia si no nace del Justo. Jesús lo dijo así: "nadie puede ver ni entrar al reino de Dios si no nace de nuevo". Si el corazón del hombre no cambia con la justicia de Dios, nunca podrá vivir en paz consigo mismo ni con los demás. La justicia del Reino se aplica, se vive, se hace con un corazón puro y transformado por Dios; si no, serán sólo buenas intenciones pero no justicia. La verdadera justicia viene de Dios, y si Él no se la *imputa* al hombre, éste sólo puede producir "trapos de inmundicia": obras humanas para ganar méritos con Dios, las cuales Él no recibe. Sólo de Dios y de su reino viene la verdadera justicia.

"[14]Justicia y juicio son el cimiento de tu trono; misericordia y verdad van delante de tu rostro". Salmos 89.14

La justificación de Dios
es la declaración legal de que somos justos.

En el mundo, hay millones de líderes eclesiásticos, gubernamentales y empresariales, en las escuelas y en la familia, tratando de obrar justicia por su propia fuerza y capacidad, por su propio sentido de lo que ésta debe ser. Pero como esto no es posible, nada sucede. Las personas que no tienen un corazón cambiado por la justicia del Reino, solamente tienen buenas intenciones; pero esto no es suficiente para transformar su ciudad, su estado, su nación, su familia. Primero, necesitan tener un encuentro con el Dios justo que imparte justicia; necesitan ser justificados primero, para luego, poder hacer justicia. La manifestación inicial de la justicia es para la salvación del ser humano, y para vindicar su causa. Recuerde que salvación también significa sanidad, liberación, prosperidad, paz y la plenitud de todas las cosas.

3. La justicia del Reino es para restaurar o hacer prevalecer el derecho

"[6]Jehová es el que hace justicia y derecho a todos los que padecen violencia". Salmos 103.6

Para que nosotros, los hombres, podamos hacer que el derecho prevalezca, debemos estar llenos de la justicia de Dios. Luego, debemos buscar que esta misma justicia sea *imputada* en aquellos que viven fuera del reino de Dios.

Actualmente, hay muchas organizaciones luchando por sus derechos. Los homosexuales, los grupos feministas, las lesbianas, los extremistas religiosos y los grupos radicales defienden sus derechos. Hay un sinnúmero de grupos que pelean por aquello que creen justo. Pero estos derechos no provienen de la justicia del reino de Dios, sino de ellos mismos, de su propio sentido de justicia. Son "derechos" nacidos de su conducta lasciva, pecaminosa y egoísta. Por eso las normas bíblicas han sido destituidas del gobierno, la escuela e, incluso, de algunas iglesias; porque estos hombres quieren seguir complaciendo sus deseos degenerados y ser considerados "justos". Entonces, cambian las leyes y tuercen el derecho.

Esto no es para servir y ayudar a otros, sino para propagar su manera de vivir e imponérsela a los demás, llevándolos a la destrucción.

Pelear por una causa justa
no significa que esté agradando a Dios,
porque Él mira el corazón.
Si su corazón es justo, su obra será justa.

Algunos, aunque están equivocados, actúan con corazón sincero; otros lo hacen porque su corazón está corrompido, y otros, porque simplemente necesitan pelear por una causa y marcar una diferencia en este mundo. Lo malo de estos últimos es que eligen las causas equivocadas o la motivación errada. No estamos en el mundo para hacer nuestra voluntad, establecer nuestra justicia o, simplemente, hacer una diferencia. Estamos aquí para cumplir la voluntad y la justicia de Dios. Es muy distinto pelear por los derechos que el reino de Dios otorga a individuos que no se pueden valer por sí mismos ni tienen los recursos necesarios. Esto es verdadera justicia y razones dignas por las cuales pelear. Jesús, cuando enseñaba *El sermón del monte*, declaró lo siguiente:

"[6]Bienaventurados los que tienen hambre y sed de justicia, porque ellos serán saciados". Mateo 5.6

La traducción moderna sería:

"Bienaventurados los que tienen una gran pasión, hambre y sed en el corazón, de restaurar el derecho, para hacer que éste prevalezca, porque ellos serán saciados".

En este momento, Dios está buscando hombres y mujeres que amen la justicia y odien la iniquidad; que tengan sed y hambre de luchar por el derecho del pobre, la viuda, el necesitado y el extranjero. Tal es la decadencia y pérdida de valores que atraviesa la sociedad moderna que los hombres pelean más por los derechos de los animales (las ballenas, los pájaros, los leones) que por los de los seres humanos. Es más, la misma sociedad los recompensa con trofeos, reconocimientos y promociones, mientras al defensor de un niño lo condenan a la burocracia y el olvido. Cuando alguien mata un animal, recibe multas y hasta encarcelamiento, porque hay gente que pelea activamente por los derechos de los animales.

¿Por qué son tan escasos los hombres que luchan por los derechos del niño en el vientre de la madre? ¿Por qué hay tan poca gente que se levanta y lucha para que a esas criaturas se les respete el derecho a vivir? ¿Quién se levanta para luchar por el derecho de esos bebés que están siendo abortados? (Anualmente, hay un promedio de cincuenta millones de abortos en todo el mundo)[1]. Los médicos que realizan estos procedimientos, no van a la cárcel; pero sí van presos quienes matan animales. ¿Qué tiene más valor para esta sociedad: un perro o un ser humano que acaba de formarse en el vientre de su madre? Hay miles de niños y niñas clamando por justicia. ¿Quién se vestirá de justicia y hará que su derecho prevalezca? (En la actualidad, el tráfico de seres humanos asciende a cerca de 800.000 por año. La mayoría de ellos son mujeres y niños, usados tanto para explotación sexual como para trabajos forzados)[2].

Tiene que haber hombres con hambre y sed de justicia, que odien la iniquidad y luchen por los derechos de los indefensos. En cada situación injusta, debe haber un hombre justo, un ciudadano del Reino que pelee por los desamparados. Jesús, el Justo, vino a traer su reino y su justicia a los hombres; vino a restaurar el derecho, hacer que prevalezca y promover activamente su cumplimiento conforme a la justicia del Reino.

---

[1] https://www.cia.gov/library/publications/the-world-factbook/docs/notesanddefs.html.

[2] https://www.cia.gov/library/publications/the-world-factbook/docs/notesanddefs.html.

En esta nación y en todo el mundo, hay millones de seres humanos, hombres, mujeres, jóvenes y niños, clamando por alguien que defienda sus derechos. Hay millones de mujeres abusadas y maltratadas, física y emocionalmente, por sus esposos o por sus jefes; trabajadoras que reciben mejor paga por ser mujeres; otras, están clamando por sus derechos en la iglesia, donde muchos líderes no creen que ellas tengan un ministerio como el de los hombres. Las mujeres están clamando por un trato justo. En algunos países y culturas, las mujeres son tratadas como animales, como ciudadanas de segunda clase; no reciben el mismo trato ni tienen los mismos privilegios que los hombres, ni en la sociedad ni en la religión. (En los Estados Unidos, cada dos minutos, una mujer es atacada sexualmente)[3].

La pregunta que surge de inmediato es: Si Dios nos creó a todos iguales, y cada ser humano fue hecho a su imagen y semejanza, ¿por qué ocurre esto? Tiene que haber alguien que se vista de justicia y luche para que el derecho de la mujer prevalezca. Más aún, es una lucha para que la intención de Dios con su creación no se desvirtúe ni se pervierta. Si Dios creó a la mujer con capacidades y dones para establecer su reino en la Tierra, no podemos negarle ese derecho. Sería como decirle a Dios que se equivocó, y negar su sabiduría.

En nuestras sociedades, millones de mujeres son abusadas, rechazadas y usadas como instrumento de satisfacción sexual. Hay mujeres heridas, golpeadas por el machismo del hombre y por la injusticia de una sociedad ciega a sus valores y necesidades. ¿Quién puede salir y pelear por los derechos que Dios le ha dado a la mujer?

Así también, hay miles de niños y niñas siendo usados para promover la pornografía en USA y otros países del mundo. Ésta es la industria que más dinero produce a nivel mundial.

---

[3] http://www.rainn.org/statistics/index.html. 2005 National Crime Victimization Survey (PDF, 287KB) from the Bureau of Justice Statistics, U.S. Department of Justice

Ilustración: Hace pocos meses, un programa de televisión transmitió esta noticia: en un país asiático, hombres malos e impíos compraban niños de tres y cinco años para tener sexo oral con ellos y otros hombres. Cuando fueron rescatados, en el rostro de los niños, se reflejaba el abuso tan terrible que habían sufrido. Una vez más, me di cuenta de que Dios está buscando hombres y mujeres que se levanten y peleen por el derecho de los niños. Estas atrocidades son dardos clavados en el corazón de Dios. Él busca hombres dispuestos a luchar para que los niños puedan crecer sanos, puros y libres de estos abusos. (La UNICEF estima que un millón de niños son forzados a la prostitución o usados para producir pornografía infantil cada año)[4].

Hay millones de pobres que reclaman su derecho a comer; viudas desamparadas que no tienen dónde vivir, inmigrantes sin recursos para ayudar a sus hijos. ¿Quién pelea y lucha por el derecho del extranjero que está siendo explotado? ¿Quién defiende a los niños de Latinoamérica, África, Asia y otros lugares del mundo? (La UNICEF revela que uno de cada 12 niños y jóvenes menores de 18 años, trabajan en el mundo bajo las peores condiciones de explotación. Alrededor de 180 millones de niños y jóvenes menores de 18 años, son sometidos a 'trabajos forzados o peligrosos, esclavitud, reclutamiento obligado en ejércitos, prostitución y otras actividades ilegales'. El estudio señala que el 97% de los niños y jóvenes explotados se hallan en los países pobres o en las naciones en desarrollo, y subraya que 'los niños entran al mundo del trabajo y la explotación empujados por la pobreza y la falta de educación')[5].

¿Quién pelea por los derechos del inocente que está en prisión? Pocos, muy pocos son los que tienen hambre y sed de justicia para ayudarlo. ¿Cuántos dan su tiempo y esfuerzo para defender a aquellos que son discriminados por el color de su piel, por su lengua o por su nacionalidad? ¿Quiénes harán que el derecho a la

---

[4] http://www1.hcdn.gov.ar/folio-cgi-bin/om_isapi.dll?clientID=1026898414&advquery=5665-D-05&infobase=tp.nfo&record=ABD8 &recordswithhits=on&softpage=proyecto

[5] http://www.consumer.es/web/es/solidaridad/2005/02/22/117214.php

salud, la sanidad, la salvación, prosperidad, paz y gozo sea restaurado a una humanidad perdida en su pecado? ¿Dónde están esos hombres que quieren llevar la única respuesta a la injusticia y a la falta de derechos a una sociedad cada vez más corrupta? ¿Quién llevará el evangelio del reino de Dios y su justicia a los desamparados y marginados de esta sociedad?

Por otro lado, los jóvenes también están clamando por una mejor educación, están reclamando su derecho a ser oídos, a ser libres de las pandillas, el alcohol y las drogas; piden que alguien se vista de justicia y haga que su derecho sea reconocido. Muchos de esos jóvenes entraron a esas pandillas porque nunca tuvieron un padre, una madre, una familia que les amara; y ahora viven en rebeldía contra Dios y la sociedad. ¡Alguien tiene que ir y rescatarlos!

Hay millones de hombres pidiendo justicia; hombres que fueron abusados sexualmente, o que son rechazados por la sociedad debido al color de su piel; hombres que perdieron su paternidad, masculinidad y sacerdocio. ¡Hay hombres pidiendo justicia!

La obra de Jesús en la cruz
restauró los derechos de los hijos de Dios.

Nosotros, los hijos de Dios, tenemos derecho a la salvación, a la restauración, a la bendición financiera, a la sanidad del cuerpo, la liberación, la seguridad, la paz y el gozo; pero no por nuestras buenas obras, sino por la obra de Jesús en la cruz. El sacrificio de Cristo nos *imputó* su justicia, nos justificó y restauró nuestros derechos. Debemos llevar estas buenas nuevas a los oprimidos, por la injusticia de nuestra sociedad, y restaurarlos a su posición en Dios; defender sus derechos y llevarlos a vivir en el Reino.

La injusticia continuará en nuestras iglesias, familias, hogares, empresas, ciudades y naciones, hasta que se levanten hombres y mujeres con hambre y sed de justicia, que amen el derecho con todo su corazón y que odien la iniquidad; hombres que no busquen lo propio, sino el bien de otros; que no busquen posiciones en la iglesia, en el mercado o en el gobierno para su propio beneficio, sino para restaurar el derecho y la justicia de Dios. No necesitamos hombres propagando su conducta inmoral y su mala manera de vivir, sino personas que quieran el bien del prójimo, la justicia para el indefenso, para el que menos puede y menos tiene.

¿Cuál es la recompensa que Dios ofrece a estos luchadores de la justicia?

"...ellos serán saciados".

Dios los saciará del gozo y la paz que ninguna otra cosa puede dar al corazón del hombre. Hacer prevalecer el derecho de otro ser humano produce en nosotros una satisfacción que no la puede dar ni todo el oro y la fama del mundo.

Ilustración: Cuando hago cruzadas de evangelismo y milagros, veo los estadios llenos de personas que vienen con los ojos hundidos por la depresión, la tristeza y la falta de esperanza, con las marcas del pecado en sus rostros. Pero, entonces, conocen a Jesús, son salvas y entran al reino de Dios. Si en esa ocasión parecía que no tenían esperanza, cuando meses después, regreso, las veo bien vestidas, sirviendo en una iglesia, con su rostro lleno de paz y alegría. Estaban enfermas, perdidas en los vicios y el pecado, pero conocieron a Dios, entraron a su reino y sus vidas fueron transformadas. Ahora son salvas y están sanas, y sus ojos brillan de esperanza y sentido de destino. Eso sacia mi corazón más que el dinero, la fama, la posición y cualquier otra cosa.

Muchas personas no entienden que yo voy a predicar el evangelio del Reino a otros países para llevar justicia y paz a sus habitantes. No voy en busca de dinero y fama, sino porque siento una gran compasión por aquellos que no tienen paz, salvación ni gozo. Quiero llevarles el reino de Dios para que su justicia los alcance, para que dejen de vivir en miseria y comiencen a vivir en abundancia espiritual y material.

"[11]Verá el fruto de la aflicción de su alma, y quedará satisfecho; por su conocimiento justificará mi siervo justo a muchos, y llevará las iniquidades de ellos". Isaías 53.11

Jesús quedó satisfecho después de que murió, resucitó y vio el fruto de su sacrificio: la transformación de millones de seres humanos que estaban en muerte y recibieron vida eterna, salvación (justicia), paz y gozo; la restauración de la relación entre el Padre celestial y sus hijos, los hombres.

La justicia tiene un efecto redentor en el corazón del hombre.

Ninguna persona genuinamente nacida de Dios, estará satisfecha sino hasta que comience a luchar por ver triunfar el derecho en su vida y en la de otros seres humanos. Sólo así, se puede ser saciado de paz, gozo y salvación. Esto es la justicia de Dios y de su reino, que en nada se parece a la de los hombres.

"[17]Y el efecto de la justicia será paz; y la labor de la justicia, reposo y seguridad para siempre". Isaías 32.17

¿Quiere ser usted ese hombre o mujer? ¿Está dispuesto a luchar para restituir el derecho? ¿Está dispuesto a pagar el precio por causa de la justicia? ¿Está dispuesto a ser perseguido por ser una voz a favor de los más débiles, en vez de ser sólo un eco del *statu quo*? ¿Quiere ser ese hombre o mujer que padece persecución por causa de la justicia? ¿Está dispuesto a perseverar en la lucha por los derechos de los niños, las mujeres, hombres y jóvenes que no tienen los recursos para hacerlo por sí mismos? Dios hizo estas preguntas a Isaías:

"[8]Después oí la voz del Señor, que decía: ¿A quién enviaré, y quién irá por nosotros? Entonces respondí yo: Heme aquí, envíame a mí". Isaías 6.8

Dios necesita su cuerpo, su mente, su alma, su espíritu, su talento y sus recursos para enviarlo en su nombre a luchar para que la justicia de su reino impere sobre el necesitado. Debemos ser como Isaías, disponibles y dispuestos para cumplir la voluntad de Dios en esta Tierra.

La justicia divina también se define como causa. Muchos hombres han hecho del comunismo su causa; otros, han tomado la religión como causa. Algunos se colocan bombas en el cuerpo y cometen actos suicidas en nombre de religiones muertas. ¡Qué triste morir por causas malvadas! ¿Por qué no vivir y morir por causa de la justicia del Reino, por causa del bienestar de otros, la salud, la paz y la salvación de otros? ¿Quiere hacer de la justicia y el reino de Dios la causa de su vida? Si lo hace, entonces, se sentirá satisfecho y hará una diferencia real y eterna en la vida de otros.

4. La justicia de Dios es para hacer obras de justicia social

En la Escritura, Dios nos enseña que parte de su justicia es hacer obras para el bienestar del necesitado. Ése es el corazón de Dios. Es decir, no sólo se trata de llevarle salvación a la gente, sino también de alimentar su estómago y cubrir su desnudez. Pero recuerde que las obras de justicia social no son actos para ganar el favor de Dios, sino frutos de la justicia *imputada* por el pago que Jesús hizo en la cruz. Si las hacemos antes de conocer a Jesús, en nuestra propia fuerza y justicia, estas obras serán trapos de inmundicia ante Dios. Pero, si las hacemos después de haber sido justificados por Jesús, entonces serán agradables para Él. Las obras no son para ser salvos, sino porque somos salvos; nacen de un corazón sincero que desea ayudar al necesitado, no ganar méritos con Dios.

"17...aprended a hacer el bien; buscad el juicio, restituid al agraviado, haced justicia al huérfano, amparad a la viuda". Isaías 1.17

En obediencia a la palabra de Dios, la iglesia debe enfocarse, además del cuidado espiritual de las personas, en el cuidado físico de las mismas: alimento, vestido y techo. Esto también, es traer la justicia del Reino a los hombres. Si decimos que el Reino ha llegado a un lugar, y el débil y el desvalido no reciben justicia, entonces, en realidad, no ha llegado. Ha llegado su palabra, han llegados las noticias, pero el Reino no ha sido establecido. Porque él trae consigo la justicia divina.

"[3]Defended al débil y al huérfano; haced justicia al afligido y al menesteroso. [4]Librad al afligido y al necesitado; libradlo de mano de los impíos". Salmos 82.3, 4

El hombre o la mujer conforme al corazón de Dios clama por justicia para los indefensos y débiles.

Según este salmo, David clamaba por la justicia divina miles de años antes de que el reino de Dios fuera restablecido en la Tierra. Defender los derechos de los indefensos y olvidados de la sociedad es una forma de mostrarles amor, pues ellos necesitan saber y sentir que hay un Dios que les ama. La Biblia, en el Antiguo Testamento, repite esto una y otra vez.

"[6]¿No es más bien el ayuno que yo escogí, desatar las ligaduras de impiedad, soltar las cargas de opresión, y dejar ir libres a los quebrantados, y que rompáis todo yugo? [7]¿No es que partas tu pan con el hambriento, y a los pobres errantes albergues en casa; que cuando veas al desnudo, lo cubras, y no te escondas de tu hermano?". Isaías 58.6, 7

Ilustración: Nosotros, como ministerio, estamos trabajando e invirtiendo dinero y recursos, acondicionando casa-hogares en diferentes países, para alimentar, ayudar y educar niños de la calle, para que sean hombres de bien en el futuro. Estas casa-hogares les ofrecen alimento, vestido, techo y educación natural y espiritual. ¡Queremos dejarles una herencia completa!

También en el ámbito local, estamos alimentando al hambriento y cubriendo al desnudo, y preparando lugares para brindarles la ayuda que necesitan. Asimismo, en nuestros viajes misioneros, llevamos ropa y comida a los pobres porque entendemos que no se trata sólo de predicar el evangelio para satisfacer la necesidad espiritual, sino, también, comida y ropa para cubrir sus necesidades físicas. Creemos que sin obras de justicia social, la justicia de Dios es incompleta. Del mismo modo, si se realiza justicia social fuera de los parámetros del Reino, para imponer nuestros criterios de justicia o saldar culpas, entonces serán obras muertas o "trapos de inmundicia".

Sin obras de justicia social,
la justicia del Reino es incompleta.

De igual manera, también es parte de nuestra visión establecer clínicas médicas para ayudar al enfermo, centros de rehabilitación para el drogadicto, programas de ayuda para ancianos, jóvenes, entre otros, así como oficinas de asesoramiento legal y ayuda al inmigrante.

5. La justicia de Dios es para gobernar con imparcialidad

Dios es justo, aun con sus enemigos. *"[8]El juzgará al mundo con justicia, y a los pueblos con rectitud". Salmos 9.8*

Uno de los grandes problemas que trae injusticia a nuestra sociedad, es que se juzga con mucha parcialidad: dependiendo del estatus social, del nivel económico o de las influencias que se posean. Para mostrar y manifestar la justicia de Dios en la Tierra, se debe gobernar y juzgar con imparcialidad y rectamente. Esto sólo puede salir de un corazón cambiado por Jesús, lleno del temor de Dios, y de un carácter que ha sido formado por Él. Nosotros, los ciudadanos del Reino, somos sus embajadores en la Tierra, llamados para juzgar con imparcialidad y rectitud, y ser una extensión de su justicia a la hora de resolver los conflictos en las relaciones humanas.

"[2]Cuando los justos dominan, el pueblo se alegra; mas cuando domina el impío, el pueblo gime". Proverbios 29.2

Cuando un individuo justo, moralmente recto, gobierna una región, el pueblo se alegra porque hay justicia de acuerdo a los principios y leyes del reino de Dios –se juzga con imparcialidad–. Sin embargo, cuando alguien injusto e inmoral gobierna, el pueblo sufre, gime de hambre, desnudez, trato injusto y degradación de los valores. Por eso es importante que oremos y enviemos personas justas a gobernar en puestos clave del gobierno.

La prioridad: buscar el reino de Dios y su justicia

Al igual que en la sociedad de hoy, en el tiempo de Jesús, la prioridad era buscar las riquezas materiales. Si volvemos al *Sermón del monte*, observaremos que cuando el Señor termina de hablar de las bienaventuranzas, llega al punto del desafío, donde la multitud y los discípulos tienen que decidir a qué darán su prioridad.

"[25]Por tanto os digo: No os afanéis por vuestra vida, qué habéis de comer o qué habéis de beber; ni por vuestro cuerpo, qué habéis de vestir. ¿No es la vida más que el alimento, y el cuerpo más que el vestido?". Mate 6.25

La palabra **afanarse** significa preocuparse, estar dividido en dos partes, distraído, tener una preocupación que causa ansiedad, tensión, presión. Todo esto sucede cuando se busca lo material antes que el Reino.

"[26]Mirad las aves del cielo, que no siembran, ni siegan, ni recogen en graneros; y vuestro Padre celestial las alimenta. ¿No valéis vosotros mucho más que ellas? [27]¿Y quién de vosotros podrá, por mucho que se afane, añadir a su estatura un codo?". Mateo 6.26, 27

Jesús nos enseña y nos recuerda que nosotros valemos más que las aves. Esto significa que Él nos alimentará y suplirá nuestras necesidades, más de lo que suple las de las aves. Y lo hará con mayor dedicación y cuidado porque somos especial tesoro para Él. Jesús también, nos dice que consideremos los lirios del campo, que no trabajan y, sin embargo, Dios los viste. ¿¡Cuánto más nos vestirá a nosotros que somos sus hijos!?

"[31]No os afanéis, pues, diciendo: ¿Qué comeremos, o qué beberemos, o qué vestiremos? [32]Porque los gentiles buscan todas estas cosas; pero vuestro Padre celestial sabe que tenéis necesidad de todas estas cosas". Mateo 6.31, 32

La gente que no tiene pacto con Dios, la gente que no ha entrado a su reino, aquellos que no son hijos del Padre celestial, buscan primero el trabajo, el negocio, los placeres, el vestido, el automóvil del año, la casa más grande. Nuestro Padre sabe que necesitamos todo esto, pero Él nos da la manera de adquirirlo sin estar ansiosos ni deprimidos.

Cuando una persona
carece, constantemente, de bendición material,
es señal de que no está buscando
el reino de Dios y su justicia.

"[33]Mas buscad primeramente el reino de Dios y su justicia, y todas estas cosas os serán añadidas". Mateo 6.33

La primera palabra que sale de la boca de Jesús es 'buscad', que en el idioma griego, es el vocablo *"zetéo"*, cuyo significado es investigar, desear con ardor, demandar, adorar, buscar cuidadosa y diligentemente, preguntar, procurar, ir con decisión en pos de, una búsqueda dura y persistente, seguir de cerca con la determinación de hallar. La idea de esta palabra es buscar desesperadamente, como un hombre sediento busca el agua.

La palabra hebrea *"bacásh"* significa buscar por cualquier método, especialmente en alabanza y adoración; esforzarse, afanarse, desear, demandar, inquirir, interceder, rogar.

La otra palabra hebrea es *"darash"*, raíz primitiva de pisar, significa frecuentar, buscar, seguir en persecución o búsqueda; adorar, pedir, perseguir, procurar, indagar, inquirir y consultar a Dios, e implica buscarlo para establecer una relación.

a segunda palabra que Jesús dice es 'primeramente', y se refiere a prioridad, lo más esencial, lo más necesario, lo más importante ante los ojos y el corazón de Dios. La tercera palabra es 'reino', del vocablo griego *"basileía"*, que significa gobierno, dominio y señorío. La cuarta palabra es 'justicia', la cual estudiamos anteriormente en detalle.

Cuando unimos esas cuatro palabras en Mateo 6.33, conociendo el significado intrínseco de cada una, podemos leer ese pasaje de la siguiente manera:

"Mas buscad ardientemente, como alguien desesperado por la sed. Adorad a Dios, buscad con cuidado y diligencia, de manera dura, persistente, con la determinación de hallar; estudiad las operaciones del gobierno, dominio o señorío sobrenatural de Dios y su justicia, derecho, moralidad, rectitud, causa, equidad, y todo lo demás os será añadido".

Lo que Jesús nos está diciendo, es que procuremos estudiar los principios, estatutos y leyes del Reino, así como sus manifestaciones y señales; que busquemos adorar y tener una relación cercana con el Padre, con la determinación y el deseo ardiente de encontrar su presencia, su justicia, etcétera. Otra forma amplia de decir esto sería:

"Vayan decididamente en pos del Reino, busquen someterse y obedecer el gobierno de Dios; intercedan, rueguen que el Reino venga; sigan en persecución o búsqueda del Reino; vayan detrás de la salvación, la madurez, tras el propósito de Dios; persigan la manifestación del Reino para que lleguen a ser instrumentos del mismo". En estas pocas palabras, Jesús resumió todo el mensaje que vino a predicar a la Tierra:

"Luchen por la salvación de aquellos que no tienen a Jesús ni su reino; estudien y conozcan el Reino, sean instrumentos para Dios y para extender su gobierno; sigan la justicia, practíquenla, luchando por el derecho de los necesitados, de quienes no tienen los recursos para pelear por sí mismos; busquen vivir moralmente rectos delante de Dios, y hagan obras de justicia social; y todo lo demás –comida, bebida, vestido, techo, automóvil, dinero, prosperidad– les será añadido".

Si estamos dedicando más tiempo a otras cosas que a buscar el Reino, entonces no le estamos dando la prioridad que Jesús nos pide. Él, en este verso, encerró el mensaje principal que vino a predicar: el reino de Dios y su justicia. Luego, termina el sermón dándonos las llaves para no vivir afanados ni preocupados. Nos enseña que al poner su reino como prioridad, todas las demás cosas nos serán añadidas, incluyendo nuestra propia vida. ¡Amén! ¡Gloria al Señor!

¿Estamos dispuestos a tomar la decisión de buscar el reino de Dios y su justicia primero? ¿Iremos decididamente en pos de ese reino? ¿Deseamos ardientemente, ver las manifestaciones del gobierno sobrenatural de Dios en milagros, sanidades, liberación y salvación? ¿Podemos tomar la determinación de buscar el Reino y ser instrumentos de Dios para extenderlo en la Tierra?

Haga una oración y dígale al Señor: "Heme aquí, envíame a mí. Yo quiero hacer justicia al agraviado, ir en pos de que el derecho prevalezca y hacer obras de justicia social. ¡Usa mi ser! ¡Yo iré Señor!".

Aceptar el desafío
de hacer cumplir la justicia del Reino,
trae una recompensa eterna.

Capítulo 4

Los tres absolutos: Jesús, el reino y la palabra

Hoy vivimos en un mundo donde no existen verdades absolutas; nuestra sociedad ha perdido el conocimiento de la verdad como un valor y fundamento de vida. Las universidades enseñan que todas las verdades son relativas y temporales, y están sujetas a cambio; por lo tanto, vivimos en una sociedad sin valores. Nuestros hijos no tienen ningún absoluto en el cual puedan fundamentar sus vidas. Impresiona saber que existen culturas cuyo idioma ni siquiera tiene un vocablo designado para la palabra verdad, como por ejemplo, en África y en La India. Tampoco tienen un vocablo para *perdón*, pero por otro lado, tienen muchas palabras para *venganza*.

En los países occidentales, conocemos esta palabra pero ya no se practica; en cuyo caso es aún peor, porque sólo tenemos confusión. La palabra verdad ha perdido su significado original en nuestra cultura, y esto está afectando a nuestra generación y afectará, aún más, a las próximas generaciones, las cuales ya no tendrán valores genuinos en qué fundamentar su vida. Todo será relativo y sujeto a modificación, según la situación emergente.

El propósito de escribir este capítulo es establecer las tres verdades absolutas, universales que existen, las cuales se complementan entre sí, sin contradicción alguna: La persona de Jesús, el reino de Dios y la palabra de Dios.

- **Jesús:** Él es el rey del gobierno divino. Es la persona absoluta, la verdad absoluta, el camino absoluto, la vida absoluta, inmutable y eterna. El único salvador, el único mediador entre el Padre y los hombres; el único ser que ha pisado esta Tierra siendo cien por ciento hombre y cien por ciento Dios.

"[8]Jesucristo es el mismo ayer, y hoy, y por los siglos". Hebreos 13.8

❖ **El reino de Dios:** es el orden absoluto, gobierno absoluto, autoridad absoluta y voluntad absoluta de su rey. Es un reino inconmovible.

"[28]Así que, recibiendo nosotros un reino inconmovible, tengamos gratitud, y mediante ella sirvamos a Dios agradándole con temor y reverencia". Hebreos 12.28

❖ **La palabra de Dios:** es infalible, absoluta, inspirada por Dios, y permanece para siempre. Ésta es la constitución escrita del Reino.

"[16]Toda la Escritura es inspirada por Dios, y útil para enseñar, para redargüir, para corregir, para instruir en justicia". 2 Timoteo 3.16

Estas tres verdades absolutas se unen y son una –pues una no es sin la otra–. A lo largo de las Escrituras, especialmente en el Nuevo Testamento, vemos que las tres se usan, alternativamente, con el mismo significado.

"[23]Y habiéndole señalado un día, vinieron a él muchos a la posada, a los cuales les declaraba y les testificaba el reino de Dios desde la mañana hasta la tarde, persuadiéndoles acerca de Jesús, tanto por la ley de Moisés como por los profetas". Hechos 28.23

Aceptar a Jesús como Señor y Salvador
nos lleva directamente al Cielo; pero si no descubrimos su reino,
no disfrutaremos aquí, en la Tierra, de todo lo que posee.

Es importante que tengamos revelación del Rey, del Reino y de la Palabra. Porque un rey sin reino, es sólo una figura; y lo mismo es al revés, un reino sin rey no tiene autoridad. Pero solamente, Jesús puede ser el modelo que ilustre ambos, y que nos enseñe los tres absolutos; porque Él es, también, la palabra de Dios encarnada que habitó en medio de nosotros.

¿Cuál fue el propósito de Jesús al venir a la Tierra?

"[43]Pero él les dijo: Es necesario que también a otras ciudades anuncie el evangelio del reino de Dios; porque para esto he sido enviado". Lucas 4.43

Jesús declaró y resumió su misión en la Tierra, en los versos que acabamos de leer. Comenzó su ministerio predicando el Reino, y lo hizo por los tres años y medio que éste duró; y después de su resurrección, siguió enseñando del Reino por cuarenta días más, antes de ascender al Cielo. Eso muestra la importancia que el Reino tenía para Él.

"[3]...a quienes también, después de haber padecido, se presentó vivo con muchas pruebas indubitables, apareciéndoseles durante cuarenta días y hablándoles acerca del reino de Dios". Hechos 1.3

A través de todo su ministerio, Jesús preparó a sus discípulos de forma intensa; enseñándoles, ilustrándoles, modelándoles, manifestándoles la vida del Reino. Él era el único que podía hacer eso, ya que Él era el único cien por ciento Dios y cien por ciento hombre. Él podía entender lo que es ser hombre y lo que es ser Dios.

¿Por qué la sociedad de hoy ha perdido los valores?

La sociedad occidental ha sido atacada por cuatro espíritus demoníacos, los cuales han venido para destruir los fundamentos bíblicos que sostienen nuestra sociedad; por este motivo, la verdad ya no es popular.

Anteriormente, estudiamos que Jesús, el Rey, es la verdad absoluta e inmutable; el reino de Dios es el absoluto orden y autoridad, y la Palabra es inspirada por Dios y contiene las normas del Reino como su constitución formal. Vamos a concentrarnos ahora en el estudio de la verdad, ya que ha sido tan atacada.

¿Qué es la verdad? La verdad es el nivel más alto de realidad que existe en el Cielo, en la Tierra y debajo de la Tierra, la cual nunca cambia, sino que permanece por toda la eternidad.

La palabra **verdad**, en el idioma hebreo, es *"emet"*, y significa fidelidad, firmeza, estabilidad, seguridad, fiabilidad, continuidad, de carácter confiable, exactitud, veracidad, certeza, inmovilidad, honestidad.

"[37]...Yo para esto he nacido, y para esto he venido al mundo, para dar testimonio a la verdad. Todo aquel que es de la verdad, oye mi voz. [38]Le dijo Pilato: ¿Qué es la verdad?". Juan 18.37, 38

El mismo Pilato no sabía qué era la verdad. Tuvo la verdad encarnada al frente de sus ojos y no la pudo reconocer.

El ataque de estos espíritus demoníacos viene para destruir la verdad del pensar simple. Ésta es la forma de pensar judeo-cristiana, la cual el diablo ha tratado de abolir todos estos siglos.

¿Qué es el pensar simple?

El pensar simple se basa en la declaración de una tesis y una antítesis, lo cual es equivalente a un pensar en blanco y negro, sin áreas grises.

¿Qué es una tesis?

Una tesis es una teoría, noción, opinión, punto de vista, consideración, principio, juicio. Es una propuesta que debe ser probada por medio de la argumentación; es lo mismo que hace un estudiante al graduarse: tratar de probar un punto de vista, una idea, una hipótesis o una propuesta.

¿Qué es una antítesis?

Es una oposición, un obstáculo, un impedimento. La antítesis es lo opuesto a la tesis, y es presentada como un orden paralelo de verdades, no necesariamente negativas. Es decir, dos verdades que corren paralelas, pero en sentido opuesto. Aunque también, la tesis y la antítesis pueden ser tan totalmente opuestas, como una verdad y una mentira.

¿En qué consisten la tesis y la antítesis bíblica?

Éstas consisten en que hay una sola verdad, única y absoluta. Una vez que usted elige la verdad, todo aquello que es contrario a ésta, pasa a ser una mentira; porque solamente existe una verdad. No hay verdad a medias o condicional, la verdad es verdad y punto. La Biblia consiste en absolutos malos y absolutos buenos, correctos e incorrectos, verdades de Dios y mentiras de Satanás.

Jesús, su reino y su palabra son verdades absolutas. Todo lo contrario a ellos constituye una falacia.

La Biblia es un libro de blancos y negros; hay una verdad y una mentira, un Cielo y un Infierno, un Dios y un diablo, el bien y el mal, etcétera. Por ejemplo, si Jesús es el único Salvador, no puede haber otro, no hay salvación en Satanás, ni en las obras de bien, ni en las religiones; porque la verdad absoluta es que nadie va al Padre si no es por medio de Jesús. Si Dios es el único verdadero, los otros dioses son falsos. Todo el resto de dioses que existen en el mundo, como Buda o Alá, son falsos. Jesús es la verdad absoluta.

"[5]Le dijo Tomás: Señor, no sabemos a dónde vas; ¿cómo, pues, podemos saber el camino? [6]Jesús le dijo: Yo soy el camino, y la verdad, y la vida; nadie viene al Padre, sino por mí". Juan 14.5, 6

La sociedad moderna y pagana ha introducido otra mentalidad, llamada "pensar sintético", el cual acepta verdades a medias, mentiras por verdades y toda clase de combinación de teorías, religiones y filosofías, salidas de la concupiscencia humana y de la independencia del gobierno de Dios.

¿Qué es el "pensar sintético"?

Este pensamiento argumenta que cada punto de vista sincero tiene algo bueno. Por tanto, si alguien está buscando la verdad, debe considerar todos los puntos de vista, sin rechazar ninguno; más bien, tiene que recibirlos todos como verdad, pero no absoluta; porque quizás más adelante, reciba otra verdad de la cual todavía no tiene conocimiento. En esta mentalidad, no existen verdades absolutas; todas son temporales, relativas y sujetas a cambio. Las zonas grises son permitidas y, por cierto, muy extensas.

¿Cuál es el resultado de este "pensar sintético"?

Como dijimos anteriormente, el "pensar sintético", no tiene verdades permanentes. Esto lleva a la gente a buscar siempre ideas nuevas, de manera que nunca puede llegar a encontrar una verdad absoluta. Su búsqueda nunca termina, por lo tanto, nunca está satisfecha. Esto deriva en que la gente entonces, no tenga ningún fundamento firme o cierto en qué basar su vida. La existencia es inestable y sujeta a constantes cambios.

Sin embargo, con el pensar bíblico de tesis y antítesis, sí hay verdad absoluta, una verdad que nunca cambia. El reino de Dios es una verdad absoluta y es el nivel más alto de realidad que podemos conocer. Hoy día vivimos en una sociedad donde se han perdido las verdades acerca de los valores del ser humano, la familia y Dios. Esto ha llevado a nuestros jóvenes a no tener nada que los frene de la inmoralidad. Si lo que es verdad hoy, puede no serlo mañana, entonces para qué aferrarse a ello. Debido a esto, la juventud actual vive en una total ausencia de valores y fundamentos. Las verdades siempre son relativas, negociables y cambiables, porque no hay una verdad permanente y absoluta.

Cuando se vive según el "pensar sintético", no hay valores ni razones por los cuales vivir o morir. Esto, a su vez, crea una escasez de líderes reales, verdaderos y comprometidos. Los hombres se vuelven líderes por conveniencia: políticos faltos de valores, egoístas, que sólo buscan poder y riquezas. Ponen la palabra de Dios en el mismo nivel de credibilidad parcial y cuestionable que cualquier otro compendio de supuestas verdades; tienen dudas de si ésta sea la verdad final o todavía pueda aparecer otra. Entonces, no se comprometen totalmente porque no quieren volverse fanáticos de algo que no están seguros de que sea la verdad.

Los musulmanes radicales, en cambio, son capaces de morir por lo que creen; porque su pensar es blanco y negro. La diferencia es que ellos están cegados por la antítesis de la verdad absoluta. Toman como verdad algo que es totalmente opuesto a la palabra de Dios. Sin embargo, se colocan explosivos en el cuerpo, y en un acto suicida, matan a miles de inocentes, convencidos de que ésa es la única salida para su pueblo. Lo hacen creyendo ciegamente en una mentira que consideran su verdad absoluta. Los occidentales, en cambio, no somos capaces de morir por nuestra fe, porque está sujeta a cambios constantes. ¡Qué triste saber que hay fanáticos musulmanes que mueren por una mentira, mientras los cristianos ni siquiera podemos *vivir* por la verdad!

Si no creemos en la verdad de Dios de manera radical,
no estaremos dispuestos a dar nuestra vida por ella.

¿Cómo sucedió este cambio en la mentalidad de la raza humana?

A finales del Siglo XX, los cristianos y judíos comenzaron a recibir la influencia de los filósofos alemanes y griegos, que trajeron una nueva forma de pensar a todo el sistema educativo de los países de Occidente. Las muchas escuelas fundadas por los griegos, dan muestra del auge que tuvieron sus corrientes filosóficas, las cuales se extendieron a nuestro mundo por medio de las conquistas griegas y romanas –ya que los romanos, si bien, conquistaban para sí, expandían con sus conquistas la mentalidad griega, de moda en aquel tiempo–. Eso es lo que nosotros, también, hemos recibido. Esta herencia afectó la ciencia, la psicología, la antropología, la astronomía y todas las disciplinas que involucran al ser humano.

Hoy por hoy, cuando usted va a las universidades de Europa, Estados Unidos y Latinoamérica, se da cuenta de que el "pensar blanco y negro" no existe. Si usted piensa así, es visto como raro por creer en una sola verdad. Allí le sugerirán que considere otras verdades, que no se cierre, que abra su mente, etcétera. Por eso el cristiano es considerado un ignorante, pasado de moda y anticuado; porque no acepta el abanico de verdades transitorias que estas filosofías han traído a nuestras aulas e, incluso, a nuestras iglesias. A continuación, veremos los cuatro espíritus que estas filosofías y líneas de pensamiento han traído a nuestras costas:

- **El espíritu de Grecia (humanismo e intelectualismo)**

  La mayor parte de nosotros ha sido adiestrada para "pensar sintéticamente". El espíritu de Grecia ha inundado nuestras universidades, colegios, escuelas y aun nuestras iglesias; y lo peor de todo, es que lo hemos permitido. Esto no significa que no vamos a enviar a nuestros hijos a las universidades. ¡Claro que lo haremos! Pero tenemos que enseñarles, en casa y en la iglesia, a pensar en "blanco y negro", para que el "pensar sintético" no los dañe. Debemos ser diligentes en el desarrollo de la inteligencia o discernimiento espiritual de nuestros hijos, para que sepan distinguir, separar y elegir entre las filosofías humanas y las verdades bíblicas.

  Este primer ataque viene a la mente para que no distingamos lo bueno de lo malo. ¡La mentalidad griega es una maldición! La sociedad llama a los cristianos a ser tolerantes y a transigir con mentiras que niegan a Dios como verdad absoluta; y nosotros no hacemos nada para detener esto. Alguien tiene que levantarse por la verdad, aunque llegue a perder su posición, aunque lo persigan. Debemos pararnos en defensa de las verdades absolutas del reino de Dios, pues son el único fundamento sólido para nuestra sociedad.

  ¿Cómo el diablo atacó nuestra sociedad con esta mentalidad? Nuestra sociedad fue atacada por el espíritu de Grecia, por medio del sistema educativo y los medios de comunicación. Una vez que la mentalidad sintética permeó las mentes de los profesionales y el pueblo en general, vino el segundo ataque:

- **El espíritu del anticristo.** El desafío y cuestionamiento de la veracidad de la Biblia, bajo el argumento de: "¿quién puede probar que la Biblia es la verdad?".

Después de que nuestra sociedad fuera atacada por ese "pensar sintético", se comenzaron a subestimar las Escrituras; hasta que quedó sembrada la semilla, para las generaciones de hoy. Es una semilla que germina, dando como fruto, una mentalidad que cree que la Biblia *no* es la absoluta verdad. Éste es el espíritu del anticristo. Pero no conforme con esto, como consecuencia del abandono de la doctrina bíblica, vino el tercer ataque:

El espíritu del anticristo
desafía y cuestiona la veracidad de la Biblia
para traer confusión y apagar la fe en Cristo.

❖ La inmoralidad sexual

Una sociedad sin el fundamento de la palabra de Dios –la cual enseña los parámetros de vida para la familia, el matrimonio (entre un hombre y una mujer), el respeto a los padres– está destinada al fracaso, el peligro y la inestabilidad de una vida sin freno. Como consecuencia de la falta de valores basados en verdades absolutas, la gente se entrega de manera desenfrenada a los deseos de su carne, porque no tiene nada que la detenga de pecar contra Dios. Porque el concepto de pecado también es una verdad relativa, "según desde qué perspectiva se mire".

❖ La avaricia y materialismo

Las personas trabajan tanto para surgir económicamente y dar una mejor calidad de vida a sus familias que, muchas veces, terminan sumidas en la avaricia y el materialismo. Otras, simplemente, quieren más bienes materiales porque creen que eso les dará seguridad; sin darse cuenta de que esto convierte al dinero en su dios y da paso al espíritu de avaricia. El ansia de volverse rico a toda costa es desarrollar un deseo compulsivo por las cosas materiales; el "sueño americano", de repente, toma el lugar de Dios, y terminamos más ocupados en buscar dinero que en buscar al verdadero proveedor.

Con esto no estoy haciendo una apología de la pobreza; no estoy diciendo que la voluntad de Dios es que vivamos en miseria. Al contrario, Dios desea que seamos prosperado financieramente, pero esto no puede ser la prioridad de nuestras vidas.

Los ministros y predicadores no dicen la verdad con respecto a este tema porque son duramente atacados y, en el mejor de los casos, malinterpretados. Vivimos en una sociedad consumidora de diferentes opiniones, que demanda tolerancia y libertad de opinión, pero que no tiene valores en los cuales pararse o basarse. Pero los ministros del evangelio, los creyentes, los líderes con valores bíblicos, no pueden negociar el hecho de que Jesús, su reino y su palabra son la única verdad, el camino al Cielo y la vida eterna. Debemos predicar que el tesoro más grande del hombre es el reino de Dios; y esto, debe ser una verdad en nosotros primeramente.

En los días en que vivimos, vemos grandes sacudimientos en la historia; sacudimientos teológicos, ideológicos, espirituales y naturales. Sin ir muy lejos, ¿cuántos temblores, terremotos, huracanes y hasta maremotos han surgido en esta última década, que antes no se habían visto? En los años ochenta, fue sacudido el comunismo; luego, sucedió lo mismo con el capitalismo, el socialismo, la bolsa de valores y la economía mundial –con la tragedia del 9/11 y la del Tsunami–; la salud fue sacudida con el aumento del virus del SIDA, el cáncer, la leucemia, hepatitis, etcétera.

Cuando el médico mueve su cabeza y le dice que usted tiene cáncer, esto sacude su vida y conmueve hasta sus entrañas. Cuando su hija queda embarazada sin haberse casado, cuando su hijo se va de la casa, cuando el negocio está al borde de la quiebra, cuando su matrimonio está a punto del divorcio, su vida sufre un sacudimiento. Pero, en medio de cualquier situación, hay tres cosas que nunca se han sacudido y son inconmovibles: Jesús, su palabra y su reino. Por lo tanto, debemos entender, aceptar y creer estos tres absolutos; porque, en tiempo de sacudimiento, serán el ancla y el fundamento que nos sostengan.

¿Cómo ser libres de la influencia del espíritu de Grecia, la inmoralidad, el espíritu del anticristo y la avaricia?

Para ser libres de estos espíritus, hay dos actitudes fundamentales que debemos tomar:

- **Creer en Jesús, su palabra y su reino como verdad absoluta.**

En medio de un mundo cambiante, donde todo está en un constante movimiento y sacudimiento, la gente necesita un ancla firme y permanente que estabilice su vida; y para esto, hay una sola persona que nunca cambia, Jesús. Sólo hay un reino inconmovible, el reino de Dios; y una sola palabra verdadera y eterna, la palabra de Dios. Usted puede venir a Jesús hoy o mañana, y Él siempre será el rey amoroso, compasivo, justo y perdonador, que estará dispuesto a darle seguridad y fortaleza a su vida. Jesús es el Salvador, el mismo que sanaba ayer y que también, sana hoy; el mismo que liberaba ayer, y que libera hoy; el mismo proveedor de ayer, que también provee hoy. Ésta es la seguridad que la gente está buscando, la fortaleza inconmovible que solamente se encuentra en Jesús, su reino y su palabra.

"[8]Jesucristo (el Mesías) es (siempre) el mismo, ayer, hoy, (sí) y para siempre, por los siglos de los siglos". Hebreos 13.8 - Biblia Amplificada

A través de todas las edades, han surgido revueltas en contra de Jesús, su reino y su palabra, pero éstos siempre han quedado intactos porque son inconmovibles. Por eso, en estas tres verdades, los hombres pueden hallar completa satisfacción y provisión, las cuales no se encuentran en ninguna religión; son tres verdades que hacen libres a los hombres y les dan una vida plena y sumo gozo.

El reino de Dios es inconmovible, nada lo puede derribar.
Pero la desobediencia del hombre lo desplaza
y da lugar al reino de las tinieblas.

"[28]Permítenos entonces, que al recibir un reino firme, estable y que no puede ser sacudido, ofrezcamos a Dios un servicio agradable y una adoración aceptable, con modestia y cuidado piadoso, temor santo y asombro". Hebreos 12.28 - Biblia Amplificada

- **Creer que Jesús es el único mediador entre Dios y los hombres.**

"[5]Porque hay un sólo Dios, y un sólo mediador entre Dios y los hombres, Jesucristo hombre...". 1 Timoteo 2.5

Si hay sólo un Dios, entonces, todos los demás quedan fuera, todos los demás son una mentira. Sólo hay un mediador, que toma la mano de Dios Padre y la mano del hombre y las une para restaurar la paz entre ambos. Jesús es el único en quien podemos hallar salvación.

"[12]Y en ningún otro hay salvación; porque no hay otro nombre bajo el cielo, dado a los hombres, en que podamos ser salvos". Hechos 4.12

La palabra **otro** es el vocablo griego *"eteros"*, que significa diferente, distinción genérica, otra clase, no de la misma naturaleza, forma o clase. La palabra **ningún** denota distinción y exclusividad, sin otras alternativas, opiniones u opciones. Jesús es el único, no hay otro. Ésta es la absoluta verdad, todo lo demás es mentira. ¡Debemos tener el valor de proclamarlo!

El Reino, la Palabra y Jesús, ¿son un idealismo o una realidad?

Una tesis es probada por una argumentación con pruebas reales de que esa proposición es cierta, verdadera. Recordemos la definición de 'verdad': el nivel más alto de realidad, estabilidad y seguridad que existe.

¿Cómo podemos probar la tesis que afirma que Jesús, su palabra y su Reino son la verdad absoluta? Antes de hablar de esto, quiero establecer que yo soy un realista, no un idealista. El realismo es definido como la forma de presentar las cosas tal como son, sin suavizarlas ni exagerarlas. Mi postura es cien por ciento realista; por lo tanto, nada de lo que explico procede de mi imaginación o de un simple deseo de creer en "algo", sino de haber descubierto la veracidad del reino, la palabra y la persona de Jesús. Aclarado este punto, procedamos a probar esta tesis con las siguientes verdades:

❖ **La palabra se hizo carne**

"[14]*Y aquel Verbo fue hecho carne, y habitó entre nosotros (y vimos su gloria, gloria como del unigénito del Padre), lleno de gracia y de verdad". Juan 1.14*

En todas las otras religiones, la Biblia viene a ser sólo palabra. Pero para nosotros, la Palabra era Jesús, y la Palabra se hizo carne para habitar entre nosotros. Es decir, lo ideal vino a ser real, lo invisible se hizo visible. Todo lo que Jesús enseñó, él mismo lo modeló en su cuerpo humano; él fue todo lo que sus palabras declararon. No se puede distinguir dónde se separaban sus obras de sus palabras, porque siempre iban juntas. En lo que Él era, la palabra se hacía carne. Él era lo que sus palabras decían.

"[19]*Entonces él les dijo: ¿Qué cosas? Y ellos le dijeron: De Jesús nazareno, que fue varón profeta, poderoso en obra y en palabra delante de Dios y de todo el pueblo". Lucas 24.19*

Cuando Jesús terminó el sermón, algunos pensaron que era un idealista; sin embargo, otros decían que hablaba con autoridad. Pero Él era más que eso: la suma total de realidad estaba en su persona. Jesús no era un moralista; su propósito no era imponer un código moral. Más que eso, Jesús era el revelador de la realidad, la verdadera realidad. La verdad de Dios funciona en el mundo visible y en el invisible.

La verdad es el nivel más alto de realidad
que existe en los Cielos y en la Tierra.

Las otras religiones tratan de hacer un bien a la gente a través de la capacidad humana. Pero los que estamos en el Reino no *tratamos* de ser mejores o felices, simplemente lo *somos*; Dios nos da el poder para serlo. Su palabra se hace carne en nuestra vida, y ya no tenemos que buscar, sólo tenemos que ser. Las religiones tratan de hacer a la gente mejores personas. ¡Jesús y su reino hacen a las personas diferentes por medio de la regeneración! Cuando Cristo, el Verbo, entra en una persona, se hace carne en ella y regenera todo su ser; esto provoca una transformación total en el individuo.

La Palabra se hace carne cuando cambia a un drogadicto, sana a un enfermo, liberta a un alcohólico; es decir, deja de ser solamente palabra y se materializa. En nuestro ministerio, lo vemos todos los días; cientos son salvos y transformados, sanados y liberados; Dios los prospera, porque creen en sus tres absolutos. La Palabra se hace real, carne y tangible en ellos. Sus rostros cambian, sus actitudes cambian, sus vidas cambian.

Leamos, a continuación, testimonios reales de personas cuyas vidas han sido totalmente transformadas por Jesús:

Testimonio del Dr. Joaquín Tomás

"Como nieto de inmigrantes españoles e hijo de inmigrantes cubanos, vine a los Estados Unidos a vivir el sueño americano. Quise alcanzar la felicidad a través del dinero, el respeto social y la excelencia académica. Mi ambición me llevó al éxito. Logré un Doctorado en Medicina, una especialización en Cirugía, un *Fellowship* en Cirugía Oncológica, y un *Masters Degree* en Patología Quirúrgica. Con esto llegaron el reconocimiento, el respeto a nivel social y académico, dinero y exposición pública. Pero mi vida personal era un fracaso total; contaba ya varios divorcios y mis principios personales, se deterioraban, cada vez más, por la depravación y el abuso de sustancias tóxicas. Vivía totalmente infeliz, deprimido y con pensamientos de suicidio. En mi vida de tantos éxitos y logros, faltaba "algo" fundamental para seguir adelante.

Un día me invitaron a una iglesia a escuchar a unos músicos famosos. Atraído por la música y los artistas, fui. Allí, a través de la alabanza, el Señor me ministró y reconocí lo perdido que estaba. Se me cayeron las vendas espirituales y pude saber qué faltaba en mi corazón: Jesús.

Hoy sigo siendo ambicioso, pero ahora, para el reino de Dios. Mi vida tiene sentido y propósito. Estoy lleno de paz y gozo, sé a dónde voy, y tengo certeza de mi destino. Jesús se hizo carne en mí y me dio nueva vida".

Testimonio de Marianne Salazar

"En julio de 2005, mi madre, de setenta y tres años de edad, estaba en el hospital en las etapas finales de una Hepatitis C, con cirrosis en el hígado, y no se conseguía un donante para hacerle un trasplante. Los doctores sólo le daban dos semanas de vida. ¡Estábamos desesperadas!

Yo soy abogada, tenía buena salud, éxito en mi profesión, excelentes amigos, y todo lo que una persona puede necesitar, excepto por el hecho de que mi madre estaba muriendo. Un domingo, 17 de julio de 2005, mi madre vio el programa del pastor Maldonado en televisión y me pidió que la llevara a una de sus cruzadas de sanidad. Una vez allí, el pastor llamó a las personas con enfermedad en la sangre, específicamente, Hepatitis C. Sin más, llevé a mi madre hasta el altar, el pastor oró por ella, y desde entonces, la enfermedad comenzó a retroceder y a desaparecer. El hígado se regeneró y comenzó a limpiar su cuerpo, sin necesidad de trasplante ni tratamiento. Los médicos, atónitos, hacían prueba tras prueba... hasta que finalmente, reconocieron que un milagro de Dios había sucedido en su cuerpo. La Palabra se hizo carne en ella.

Hoy soy cristiana... después de todo, ¿quién puede discutir contra un milagro? Mi vida cambió. Ahora tengo una relación con Dios, a través de Jesucristo, mucho más cercana que nunca antes. Sé que Él tiene un propósito para mí en su reino, y estoy lista para cumplir mi parte, en pacto con Él, para su gloria".

Testimonio de Juan Guzmán

"Mi profesión, durante varios años, fue jugador de béisbol en las grandes ligas. Participé en dos series mundiales y gané dos anillos (uno de los sueños de todo jugador); estuve entre los diez mejores *pitchers*, participé en el juego de las estrellas, conocí gente famosa, rica e influyente; firmé varios contratos multimillonarios, compré propiedades de todo tipo e hice inversiones. En fin, disfrutaba de fama, riqueza y posición en este mundo; pero a pesar de todo lo que había logrado, mi vida estaba vacía. Entonces, decidí buscar a Dios y comencé a eliminar de mi vida las cosas que yo sabía que no le agradarían a Él. Me alejé de las mujeres, y le pedí a Dios que me diera una esposa... y así lo hizo. Luego de una serie de inconvenientes en mi país, nos mudamos a Miami y encontramos la iglesia El Rey Jesús. Allí sentimos la presencia de Dios como nunca antes, y supimos que ése era nuestro hogar. Desde entonces, no he vuelto a ser el mismo.

Hoy tengo una vida transformada por el poder y el amor de Dios. El vacío que había en mí se llenó con su presencia. Tengo orden, disciplina, una familia; tengo metas, propósito, amigos verdaderos y un destino en Cristo. ¡Jesús se hizo carne en mi vida!".

Testimonio de Andy Argüez

"Crecí en una familia disfuncional, viendo a mi madre sufrir los maltratos de mi padre; hasta que a los seis años, él se fue de casa. Mi corazón se endureció. Me sentía sin identidad y la buscaba en la calle: vendía drogas y andaba en pandillas, usando armas y escapando de la policía, con las balas rozándome la cabeza. En mi interior, yo buscaba que alguien me amara y me diera identidad. Mi padre nunca me dijo: "hijo, te amo". Una madrugada, estaba en la calle vendiendo drogas con mi pandilla, cuando los muchachos de otra pandilla, llegaron y nos apuntaron con sus armas a la cabeza y comenzaron a disparar, mientras los helicópteros de la policía sobrevolaban el lugar. En ese momento, le pedí a Dios que salvara mi vida; me entregué a Él y su poder cambió mi corazón. Después de quince años, lloré por primera vez, y pude perdonar a mi padre. Hoy vivo para adorar a mi Dios y para rescatar a tantos muchachos que están pasando por mi misma situación, para que reciban el amor del Padre y su palabra se haga carne en ellos, como se hizo en mí".

❖ El testimonio, prueba irrefutable

"[11]Y ellos le han vencido por medio de la sangre del Cordero y de la palabra del testimonio de ellos, y menospreciaron sus vidas hasta la muerte". Apocalipsis 12.11

El testimonio de un individuo transformado por el poder de Dios, es algo que nadie puede refutar. Juan nos dice que el diablo es vencido por el poder de la sangre y del testimonio; el testimonio de lo que Jesús hizo en nosotros desde que entramos a su reino.

El cristianismo, entonces, no es una ilusión ni un idealismo; es una realidad, una verdad que se manifiesta y se hace carne. Esto es porque el rey Jesús se hizo carne, murió y resucitó para que su vida fuera una realidad encarnada en nosotros. El reino de Dios, la persona de Jesús y la palabra de Dios son las tres verdades absolutas, inconmovibles, inmutables, sobre las cuales Jesús puso su sello de aprobación y validez al resucitar de entre los muertos.

Una persona con un argumento,
siempre estará a merced de otra
con una experiencia vivida.

Capítulo 5

LOS PRINCIPIOS FUNDAMENTALES DEL REINO

Los principios fundamentales del Reino son aquellos contenidos en las bienaventuranzas que Jesús enseñó, al comienzo de su ministerio, durante *El sermón del monte.* Ésta es una de las enseñanzas más completas y llenas de contenido que podamos encontrar, basada en los principios que rigen el reino de Dios; de manera que establece la justicia del Reino en la Tierra y la voluntad de su rey.

Es interesante ver cómo, antes de dar el sermón, Jesús prepara el corazón y la mente de la gente, instándola a cambiar su mentalidad. Él hizo esto a causa de los poderosos principios que iba a enseñarles, pues ellos necesitaban una mente dispuesta a recibir lo nuevo del Reino.

"[17]Desde entonces comenzó Jesús a predicar, y a decir: Arrepentíos, porque el reino de los cielos se ha acercado". Mateo 4.17

La palabra **arrepentíos** significa hacer un cambio total de mente, con el fin de cambiar la forma o estilo de vida. Jesús desafió a la multitud a dejar atrás los viejos paradigmas y esquemas mentales que le impedían la entrada al Reino. Amigo lector, el desafío hoy es también para usted, para que abra su mente de manera que pueda entender estos principios poderosos. Si esto sucede, su vida será transformada.

En cierta ocasión, tuve la oportunidad de ir a Israel y pararme en el lugar donde Jesús enseñó *El sermón del monte.* ¡La sensación es extraordinaria! Yo podía imaginar a Jesús enseñando bajo la unción del Espíritu Santo, a las miles de personas que lo escuchaban en ese momento. El mensaje y el desafío fueron tan fuertes que todavía hoy, nos tocan y nos transforman.

Es importante señalar que las dos enseñanzas más importantes que Jesús dio fueron: *El sermón del monte* y la oración del Padre nuestro; y en ambas, menciona el reino de Dios. Esto nos confirma, una vez más, la prioridad que éste tiene para Jesús. Antes de adentrarnos en este apasionante tema, abordemos las circunstancias bajo las cuales Jesús enseñó *El sermón del monte.*

¿Qué es *El sermón del monte*?

Esta enseñanza debe su nombre al hecho de haber sido predicada desde un monte; la multitud y los discípulos de Jesús se reunieron allí para escuchar al Maestro. *El sermón del monte* no es tanto una enseñanza para exhortar a oír los principios del Reino, sino una exhibición, una ilustración de la vida de Jesús y de todos aquellos que han entrado al Reino.

Hay muchas personas que consideran que *El sermón del monte* es una utopía, un idealismo imposible de practicar en la vida diaria. Pero Jesús lo enseñó como algo real y posible, que cada creyente puede manifestar y vivir en la Tierra, con la ayuda del Espíritu.

El sermón del monte es un conjunto o sistema de principios fundamentales, actitudes, formas de pensar, que no son impuestas, sino expuestas para ser vividas. Es el carácter del rey Jesús, del hombre más sabio y santo que jamás haya existido aquí. Estos principios fueron dados para obedecerlos y practicarlos dentro del Reino en la Tierra. Ésta fue la primera enseñanza de mayor impacto con la cual Jesús estableció el fundamento y los valores apostólicos del Reino.

Llama la atención observar que en este sermón, Jesús no habló de atar demonios ni de hacer guerra espiritual. Hoy día muchas personas hacen guerra, atan y desatan, cuando el Reino todavía no ha sido establecido.

Antes de hacer guerra espiritual,
necesitamos estar seguros de que nuestro fundamento
está plantado correctamente.

¿Cómo comienza Jesús *El sermón del monte*?

- **Jesús se sentó**

"[1]Viendo la multitud, subió al monte; y sentándose, vinieron a él sus discípulos". Mateo 5.1

La Biblia *Nueva Versión Internacional* traduce este versículo de la siguiente manera:

"[1]Al ver aquella multitud que se había reunido, Jesús subió al monte y se sentó...". Mateo 5.1

La expresión **se sentó** significa acomodarse en un trono con sentido de pertenencia, como con derecho a ocuparlo. Cuando una persona se sienta en un trono, es porque tiene el propósito de ejercer el gobierno y la autoridad del Reino, desde él. Es decir, sentarse a enseñar es tomar el asiento de autoridad y comenzar a gobernar.

Jesús está enseñando algo con esta actitud. El hecho de que cada vez que iba a hablar a las multitudes y a sus discípulos, se sentara, señalaba que, en el espíritu, tomaba el trono para instruir con autoridad; como el representante de Dios y como Dios mismo. Nosotros también tenemos que hacer eso: enseñar con autoridad, porque somos embajadores, enviados por el Rey. No somos como los fariseos, religiosos, legalistas, faltos de autoridad, a fuerza de vivir una ley muerta en su carne.

> Nosotros somos la Palabra hecha carne
> por la fe en Jesús y su gracia redentora.

- **Bienaventurados**

La segunda palabra que Jesús nos enseña es **bienaventurados**, que es el vocablo griego *"makários"* y cuyo significado es supremamente bendecido, afortunado, bien librado, dichoso, glorioso, feliz para ser envidiado, espiritualmente próspero; con vida, gozo, paz y satisfacción en el favor de Dios, a pesar de las circunstancias externas.

Esta palabra se refiere a alguien que tiene una larga vida en la Tierra y que la vive totalmente contento y satisfecho. Éste es un estado o condición permanente del creyente, es un estado de ser, no de hacer.

Cuando Jesús dice esto, está declarando lo siguiente: ustedes ya son felices, no tienen que llegar a ser bendecidos, ya son bendecidos, ya están satisfechos, ya son prósperos. Él no nos está mandando a hacer sino a ser lo que dice que ya somos; tampoco habla de tener, es decir, no es algo que tengamos que procurar o tratar, sino que ya lo somos. Cuando revisamos las bienaventuranzas descriptas por Jesús, debemos realizar un inventario de nuestra vida, para saber si estamos siendo y viviendo lo que Él dice que somos.

Jesús nos enseñó dos puntos muy importantes con su actitud:

- Se sentó para enseñar. Él tomó la autoridad para gobernar desde el trono, y así, comenzó a declarar y establecer todos los principios, fundamentos, valores, mentalidad y actitudes del reino de Dios.

- Nos declaró benditos. Todo lo que dice de allí en adelante, es lo que debemos ser como resultado de nuestra bienaventuranza; por lo tanto, ya no es un idealismo, sino una realidad. Cada bienaventuranza encierra una virtud divina que debemos desarrollar.

¿Cómo trazó Jesús *El sermón del monte*?

Jesús presenta nueve bienaventuranzas en grupos de tres. Sólo con esto nos está enviando un mensaje: ninguna virtud divina trabaja sola, sino en combinación con otras para traer la manifestación de la justicia perfecta del reino de Dios. El Señor presenta los grupos de bienaventuranzas de la siguiente forma: La primera y la segunda bienaventuranza de cada grupo son verdades que corren en sentido paralelo, pero opuesto. Es lo que llamamos antes "tesis y antítesis" y cuyo resultado es la "síntesis". El propósito de esto es crear un balance en el carácter de quien las vive. La tercera bienaventuranza es el resultado de la suma de las dos primeras, y produce maravillas en el carácter de la persona. A su vez, cada virtud recibirá una recompensa. Veamos el siguiente diagrama:

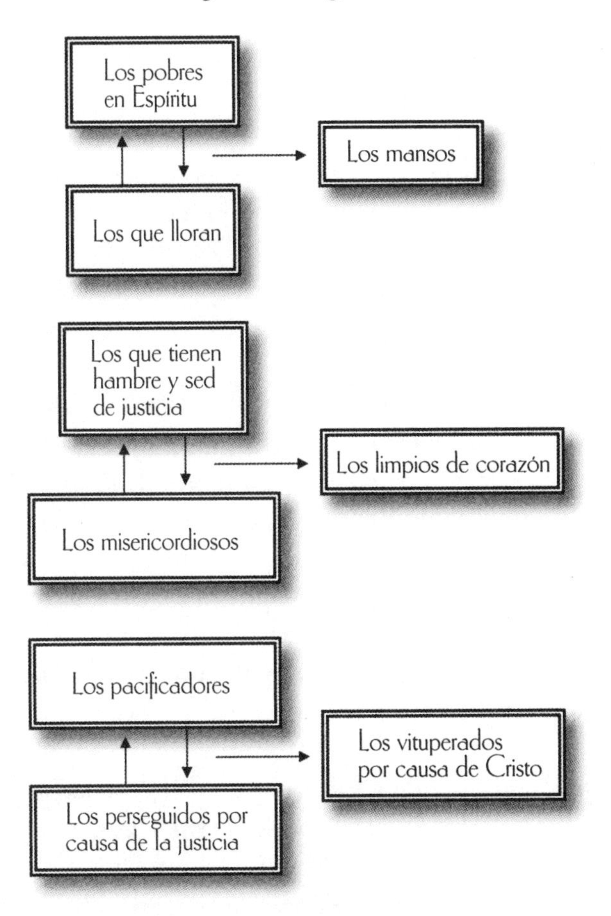

A continuación, estudiaremos las nueve bienaventuranzas o principios fundamentales del Reino para tener larga vida en la Tierra y tener éxito en los negocios, las relaciones, la política y el gobierno; para establecer una sociedad fuerte y con valores bíblicos. Éstos son los principios necesarios para tener familias fuertes, hijos obedientes, traer prosperidad a nuestras naciones y ciudades, y vivir satisfechos y contentos.

¿Cuál es el primer grupo de bienaventuranzas?

1. Bienaventurados los pobres en espíritu

"[3]Bienaventurados los pobres en espíritu, porque de ellos es el reino de los cielos". Mateo 5.3

¿Quién es un pobre en espíritu?

Este tipo de persona reconoce que si no depende totalmente de Dios, está en bancarrota espiritual; es alguien humilde, alguien que reconoce su necesidad de Dios. Es una persona enseñable, mentalmente dócil, dependiente y moldeable; alguien que sabe que necesita a Dios, y que si no depende de Él, no puede vivir.

Vale aclarar que pobre en espíritu no es aquella persona con baja autoestima, que tiene una imagen pobre de sí misma, o cuyo espíritu es anímico y débil, sino alguien que depende de Dios.

Éste es el primer principio o base del Reino que Jesús enseña. La independencia de Dios, precisamente, fue lo que llevó a Adán a caer. La segunda razón por la cual Jesús enseñó este principio, fue lanzar un dardo directo al ego, la carne, la autosuficiencia del hombre, que lo llevó a pecar.

"[15]Porque así dijo el Alto y Sublime, el que habita la eternidad, y cuyo nombre es el Santo: Yo habito en la altura y la santidad, y con el quebrantado y humilde de espíritu, para hacer vivir el espíritu de los humildes, y para vivificar el corazón de los quebrantados".
Isaías 57.15

Estos individuos están pobres en espíritu, quebrantados de corazón por los sufrimientos y los golpes de la vida y, por esa razón, sienten la necesidad de Dios; son individuos cuyo corazón está quebrantado por el abuso, el maltrato de la gente, la soledad, la falta de perdón y la injusticia social. Ellos saben que necesitan al Señor todos los días; saben que son débiles, y por eso tienen que depender de Él.

¿Cuál es la recompensa de ser pobre en espíritu?

Jesús nos está diciendo: "Sé lo suficientemente pobre como para recibir, y todo estará disponible para ti. Si aprendes a depender de Dios y no de tus propias habilidades, el reino de los Cielos y todos sus recursos (justicia, paz, gozo, perdón, sanidad, poder y autoridad) estarán a tu disposición".

Todo lo que el Reino tiene,
pertenece a aquellos que son lo suficientemente pobres
como para recibir a quienes dependen totalmente de Dios.

Éste es un principio universal para toda la raza humana. El hombre se apartó de Dios, se independizó de Él, y esto le costó la misma vida. Pero así también, todos aquellos que viven dependiendo de Dios, como lo hizo Jesús, ganan la vida eterna, y todos los recursos de su gobierno sobrenatural están disponibles para ellos.

Ilustración: Un niño que se amamanta del pecho de su madre, es lo suficientemente pobre como para recibir la leche; de otra forma, moriría desnutrido. Él la bebe porque tiene hambre, o sea, depende de ella. Por eso cuando le falta, clama por ella con todas sus fuerzas. El hombre que vive independientemente de Dios termina en depresión, soledad y enfermedad; esto es muerte espiritual. Es imposible vivir feliz en esta Tierra sin Dios.

Tener hambre de Dios o declararse en bancarrota espiritual es el principio para recibir todas las bendiciones del Reino. Debemos declarar en todo tiempo, que nada podemos hacer en nuestras propias fuerzas... ¡sin Dios nada podemos hacer! En nosotros, no existe ningún poder para tener éxito, ese poder sólo radica en Dios. Jesús mismo lo dijo:

"[5]Yo soy la vid, vosotros los pámpanos; el que permanece en mí, y yo en él, éste lleva mucho fruto; porque separados de mí nada podéis hacer". Juan 15.5

Todo lo más valioso del Reino –los detalles más grandes de su sabiduría y entendimiento, lo más esencial, la información más completa, los mayores misterios divinos, la revelación de la sabiduría, el temor de Dios– están disponibles o abiertos para los que tienen sed y hambre de recibirlos, para aquellos que se han declarado en bancarrota espiritual y viven dependientes de Él. Es decir, los misterios no están abiertos para los más buenos o merecedores, ni para los dignos o más inteligentes, los más grandes o más intelectuales; tampoco, para los más talentosos, sino para aquellos que tienen hambre y están dispuestos a recibir.

Yo quiero hacerle algunas preguntas: ¿Está usted en bancarrota espiritual? ¿Está lo suficientemente sediento y hambriento como para recibir el Reino? ¿Está dependiendo de Dios o de su ego?

Lo más poderoso, lo más sublime y grande del reino de Dios, y todos sus recursos están disponibles para los más bajos, los más pequeños, aquellos que son lo suficientemente humildes o pobres en espíritu como para reconocer su necesidad y recibir; los quebrantados de corazón, los que reconocen que sin Dios no pueden vivir; los que claman con todas sus fuerzas para ser llenos del Espíritu Santo, del alimento de su palabra y la plenitud de su presencia.

Ilustración: Jesús no tenía confianza en sí mismo; Él era totalmente dependiente del Padre y del Espíritu Santo.

"[19]...De cierto, de cierto os digo: No puede el Hijo hacer nada por sí mismo, sino lo que ve hacer al Padre; porque todo lo que el Padre hace, también lo hace el Hijo igualmente. [20]Porque el Padre ama al Hijo, y le muestra todas las cosas que él hace". Juan 5.19

El reino de Dios es ofrecido a cada uno, en todo lugar, en términos iguales. "El Reino se ha acercado a vosotros, está dentro de vosotros, y ha llegado a vosotros". El Reino siempre llega a nosotros, pero solamente lo reciben los humildes y pobres en espíritu.

Tengamos en mente que no estamos hablando de trabajar para *ganarnos* el Reino, pues no se gana, se recibe gratis. El Reino se obtiene por gracia, aunque esto no significa que haya sido barato; Jesús pagó en la cruz con su sangre, para que nosotros disfrutáramos del Reino. Tenemos que recibirlo como algo soberano y absoluto, donde Jesús viene a ser nuestro Señor total y absoluto, para después hacer su voluntad en forma total y absoluta; para entonces, ser bendecidos y vivir en libertad total y absoluta.

Ésta es la bienaventuranza principal de todas las nueve, en la cual usted no es solamente un creyente que se llena de felicidad, sino un creyente feliz. Así lo declara Jesús.

2. Bienaventurados los que lloran

"[4]Bienaventurados los que lloran, porque ellos recibirán consolación". Mateo 5.4

Jesús nos lleva a un total contraste en la segunda bienaventuranza. En la primera, nos da el Reino y nos hace felices, contentos (ésta es la tesis). Ahora nos dice que quienes lloran son los bienaventurados (lo cual constituye la antítesis que crea el balance en el carácter). ¿Qué nos quiere enseñar? Recordemos que al comienzo, hablamos de cómo el Señor estableció estas enseñanzas: En grupos de tres, cada uno con una función específica.

Cuando una persona recibe a Jesús, es totalmente feliz, porque pasa a pertenecer al Reino, y a disponer de todos sus recursos. Jesús está tratando de enseñarnos que esa felicidad nos puede llevar a ser egoístas, a disfrutar de las bendiciones y olvidarnos de que hay otros que todavía no conocen a Jesús ni han entrado al Reino. Por eso nos lleva a conocer la verdad opuesta y paralela, que no es mala, sino que da el balance justo a nuestra vida.

¿Quién es alguien que llora?

Aquí se refiere a uno que se aflige por aquellos que no conocen a Jesús como Señor, y que tampoco han entrado a su reino; llora por aquellos que están llenos de miedo, ansiedad y tristeza; por aquellos que están atados al pecado, a la pobreza, la miseria y la ignorancia. En la etapa anterior, están felices, disfrutando el Reino y su justicia; pero ahora lloran para que otros entren al Reino. No se trata de dos personas diferentes. La misma persona puede ser feliz por estar en el Reino, y llorar porque otros no están.

En la Escritura, encontramos que quienes más lloran por las necesidades de otros son los intercesores; lloran y gimen con dolores de parto por cualquier persona o situación, y su corazón se llena de compasión. Así también, nosotros debemos llorar al ver la injusticia, el dolor y la miseria de aquellos que no han recibido el Reino.

Jesús dice que somos benditos si lloramos por aquellos que están deprimidos, solos, enfermos y, sobre todo, por los que no tienen salvación. Debemos llorar por ellos porque el Reino no se trata de recibir para uno solamente ni de gozar en forma privada y egoísta. El anhelo del corazón de Dios es que todos sus hijos disfruten las bendiciones, la salud, paz, justicia y gozo de su reino.

¿Cuál es la recompensa de Jesús para los que lloran?

Aquellos que lloran por la salvación de otros serán consolados con un manto de gozo y alegría.

"[3]...a ordenar que a los afligidos de Sion se les dé gloria en lugar de ceniza, óleo de gozo en lugar de luto, manto de alegría en lugar del espíritu angustiado; y serán llamados árboles de justicia, plantío de Jehová, para gloria suya". Isaías 61.3

Esto es lo que sucede cuando hemos orado para que alguien conozca al Señor. Cuando lo hace, nos llegan el gozo y la alegría del Reino. El Padre se alegra cuando un hijo vuelve al hogar.

Nunca veremos transformación en nuestros hijos, iglesias, ministerios, ciudades y naciones, hasta que lloremos por ellos, hasta que comencemos a derramar nuestra alma en llanto por aquellos que deseamos que Dios transforme. Éste es un llanto que redime; no es simplemente derramar lágrimas, sino llorar con carga para que otros lleguen a disfrutar el Reino. Pidamos a Dios que nos dé carga por aquellos individuos o casos a los que nosotros deseamos que llegue salvación, prosperidad y justicia.

Es hermoso tener ansias de ver el Reino manifestado, porque sin eso, jamás podremos clamar por los que están en desesperación. Si usted ama su ciudad, su nación, usted llorará por ella, clamará por ella. Pero si no las ama, le resultarán indiferentes, y esto le privará de la bienaventuranza del Reino.

3. **Bienaventurados los mansos**

"[5]Bienaventurados los mansos, porque ellos recibirán la tierra por heredad". Mateo 5.5

¿Quién es un manso?

El significado principal de esta palabra es: no preocuparse por sí mismo ni de cómo se ve ante los ojos de otros; también, se traduce como humildad. (Ésta es la síntesis.) Manso no significa ser débil ni falto de carácter. Bíblicamente, manso es alguien desinteresado de sí mismo, que vive una pasión ardiente por Dios.

La persona mansa no está preocupada por su reputación. Ésta es la humildad bíblica. El deseo o anhelo de un hombre manso es cumplir la voluntad de Dios, pues está consumido por el amor a su reino y la pasión de complacerlo. La verdadera humildad es negarse uno mismo para magnificar los propósitos de Dios. Ésta es la humildad o mansedumbre que heredará la Tierra y todo lo que haya en ella.

Ilustración: Moisés era manso y humilde.

"[3]Y aquel varón Moisés era muy manso, más que todos los hombres que había sobre la tierra". Números 12.3

Moisés fue el escritor de los primeros cinco libros de la Biblia o Pentateuco. Números es uno de esos libros, de modo que en este verso, vemos a Moisés hablando de sí mismo. El concepto de humildad o mansedumbre que nosotros tenemos es que no se puede hablar de uno mismo porque suena jactancioso. Pero evidentemente, éste no es el significado bíblico de dichas virtudes. El mismo Jesús dijo de sí, que era manso y humilde.

"[29]Llevad mi yugo sobre vosotros, y aprended de mí, que soy manso y humilde de corazón; y hallaréis descanso para vuestras almas".
Mateo 11.29

Moisés y Jesús estaban diciendo que ellos no estaban interesados en sí mismos, ni buscando lo suyo; no eran egoístas ni estaban preocupados por su reputación, sino que su pasión era el Reino. La pasión de los mansos y humildes es establecer, predicar, ver y extender por la fuerza, el reino de Dios en la Tierra. El reino y los propósitos de Dios son demasiado grandes como para estar preocupado por uno mismo. Ésta era la mentalidad de Moisés y de Jesús –de ahí que pusieran su humildad y mansedumbre como ejemplos a seguir, para traer el Reino a la Tierra–.

Hoy en día, muy pocas personas son realmente mansas. La mayoría se preocupa más por su reputación que por la de Jesús. Por eso no heredan nada.

¿Cuál es la recompensa de los mansos?

Ellos heredarán la tierra. La mansedumbre está compuesta por la combinación de dos virtudes del carácter de Jesús: el hambre y sed de recibir de Dios, y la sensibilidad al dolor de aquellos que sufren por no tener al Señor, y por los problemas de la vida. El resultado es que llegan a ser hombres y mujeres despojados de todo egoísmo, quienes, sin importar la gran cantidad de bendiciones que hereden, siguen siendo sensibles, humildes y dependientes de Dios; no buscan el Reino por interés personal, sino por amor a Jesús, a su reino y a su pueblo. Estas personas heredarán la Tierra.

La mansedumbre no es un signo de debilidad,
sino una virtud de carácter fuerte,
que no se rinde hasta ver a Jesús y su reino establecidos.

Éste es el primer grupo de bienaventuranzas que Jesús enseñó: Los pobres en espíritu –los que tienen necesidad de Dios, reciben el Reino y son felices–; los que lloran –por quienes no tienen el reino de Dios y a Jesucristo–. La unión de las dos bienaventuranzas, en un ser humano, genera el hombre manso –aquel que vive desinteresado de sí mismo y apasionado por Dios–. Ser manso no es ser débil, sino el resultado de ser dependiente de Dios y sensible para llorar por los que no han entrado al Reino. Los mansos heredarán la Tierra.

Tengamos en cuenta que las tres bienaventuranzas van combinadas entre sí, y una no puede ser sin la otra. Si somos pobres en espíritu pero no lloramos por la salvación de otros, seguiremos siendo débiles. Pero si caminamos y vivimos las dos virtudes, éstas nos harán mansos, fuertes, listos para heredar la Tierra y cualquier bendición del Reino. Y lo mejor, esto no tiene ningún efecto negativo en nuestro carácter. ¡Gloria a Dios! Oremos al Señor para que estas tres virtudes sean parte de nuestro carácter y seamos bienaventurados.

¿Cuál es el segundo grupo de bienaventuranzas?

En el segundo grupo de bienaventuranzas, Jesús, una vez más, afirma el hecho de que el hambre, la sed y la dependencia de Dios son lo más importante. El hambre y la sed son fuerzas poderosas, impulsoras para vivir y actuar estas virtudes del carácter del Reino y de Jesús. Cuando saciar su sed y hambre es lo único que una persona tiene en mente, pierde su reputación, se vuelve incontrolable, se sale de los principios del protocolo humano (los modales y las buenas costumbres).

4. Bienaventurados los que tienen hambre y sed de justicia.

"[6]Bienaventurados los que tienen hambre y sed de justicia, porque ellos serán saciados". Mateo 5.6

¿Qué es justicia?

Justicia es el atributo soberano de Dios que le sirve para gobernar con imparcialidad y traer salvación al hombre (tesis). La justicia es restaurar y hacer prevalecer el derecho, y realizar obras de justicia social. La justicia del Reino fue ampliamente explicada en el Capítulo 3, por lo tanto, aquí sólo la veremos en su aspecto de bienaventuranza.

"Bienaventurados los que tienen hambre y sed de justicia...". En este verso, hay dos palabras clave:

- **Hambre**. Éste es el vocablo griego *"peináo"*, que significa: (mediante la idea de esfuerzo punzante) tener un hambre intensa; antojarse, hambre, hambriento.

- **Sed**. Es el vocablo griego *"dipsáo"*, que significa estar sediento de, o con una tendencia a buscar aquello de lo que se tiene sed, para saciarse.

Según lo que Jesús está enseñando en las bienaventuranzas, la justicia tiene que ver con luchar para que el derecho prevalezca. Con base en esto, nos dice lo siguiente: "Bienaventurados, felices los que tienen un hambre intensa y están sedientos de buscar y hacer que el derecho prevalezca, porque ellos serán saciados".

Jesús está hablando de hombres y mujeres que han estado peleando, luchando para que el derecho a tener salud, seguridad, alimento, techo, vestido, educación, trabajo, etcétera, sea dado a quienes lo necesitan. El Señor está hablando a individuos que, más que un deseo, tienen una pasión extrema, un hambre intensa de ver prevalecer el derecho del pobre y de la mujer abusada; hambre de ver cumplido el derecho del joven a la educación, el derecho de los niños abusados y maltratados a un trato amable y al amor del que carecen; sed de ver libres a los hombres deprimidos y a los pecadores recibir salvación; es un deseo punzante y una sed intensa que no se satisfacen hasta que la persona ve respetados y cumplidos estos derechos. ¿Es usted uno de los que tienen hambre y sed de justicia?

¿Cuál será la recompensa de los que tienen hambre y sed de justicia?

Los que luchan para que el derecho de otros prevalezca serán saciados de gozo, paz, salvación, prosperidad, salud y más. Su hambre y sed de justicia serán saciadas cuando vean a los marginados y maltratados recibir aquello por lo que tanto han peleado.

5. Bienaventurados los misericordiosos

"[7]Bienaventurados los misericordiosos, porque ellos alcanzarán misericordia". Mateo 5.7

¿Quién es un misericordioso?

Misericordioso es aquel que se compadece de los necesitados (los malos, los pecadores, los ignorantes de la ley, los malvados, los mentirosos, los que no merecen perdón) y no les paga conforme a sus obras, sino que les paga mal con bien (antítesis).

Así actuó nuestro Dios, cuando nosotros estábamos viviendo en nuestros delitos y pecados; no nos pagó conforme a nuestras obras, sino que tuvo misericordia y nos justificó, saldando nuestra deuda y vistiéndonos con ropas de justicia y pureza. La misericordia es la verdad paralela-opuesta que trabaja con la justicia.

"[10]La misericordia y la verdad se encontraron; la justicia y la paz se besaron". Salmos 85.10

La justicia es dar a la gente lo que merece;
misericordia es no dar a la gente lo que merece.

Estos atributos, aunque son contradictorios, van juntos, completando así el carácter justo y misericordioso de Dios en la vida del creyente. La justicia por sí sola, nos pone en el peligro de formar un corazón de juicio e intolerancia contra aquellos que no actúan correctamente. Nos volvemos luchadores del derecho, tan radicales que, si no tenemos cuidado, desarrollamos un complejo de *creador*. Pensamos que somos los únicos justos, los únicos que están en lo correcto, los únicos que luchan para establecer el derecho. Esto nos lleva a ser duros, inmisericordes e irracionales, y las victorias de justicia que ganamos se vuelven amargas.

Conozco personas que no toleran la injusticia, la defienden con uñas y dientes; pero en su afán de alcanzarla, se vuelven duras e intransigentes con los que ignoran la verdad y con los pecadores. Se olvidan de que la misericordia es una virtud de Dios, tanto como lo es la justicia; y ambas deben pesar a la hora de establecer el derecho. Por esa razón, Jesús nos da la otra verdad paralela-opuesta: la misericordia, que trae un balance a los que pelean para que el derecho prevalezca.

¿Cuál será la recompensa para los misericordiosos?

Los que practiquen la misericordia, además de la justicia, alcanzarán para sí misericordia. Mas con aquellos que no se apiaden de su hermano, se hará juicio sin misericordia. Sí, debemos amar la justicia, pero también la misericordia. Porque algún día, nosotros la vamos a necesitar. Si hemos sembrado misericordia y justicia, recibiremos ambas.

La combinación de estas dos virtudes produce entonces, la tercera bienaventuranza, que completa el segundo grupo de tres: Los de corazón limpio.

6. Bienaventurados los de limpio corazón

"[8]Bienaventurados los de limpio corazón, porque ellos verán a Dios". Mateo 5.8

¿Quién tiene un corazón limpio?

De corazón limpio es aquel hombre o mujer cuyo interior está libre de mezclas impuras, es sin tacha, libre de deseos corrompidos, es sincero y genuino (síntesis). Aquellos que han sido limpios por el sacudimiento. Pasar por un sacudimiento es atravesar grandes problemas y adversidades en la vida. Cuando esto sucede, si el hombre aprende de esas lecciones, su corazón y su alma serán limpiados.

¿Cuál es la recompensa para los de limpio corazón?

La recompensa es que podrán ver a Dios. Practicar la justicia, hacer que el derecho prevalezca para otros y, al mismo tiempo, hacer misericordia con aquellos que nos han hecho mal, nos hará hombres de corazón limpio. Eso, a su vez, nos permite ver cómo Dios trabaja en nosotros, en la vida de otros, en nuestra familia, en el trabajo, en la iglesia y en la empresa; en la naturaleza y en los niños; en visión, en sueños, en poder y salvación. Los de limpio corazón verán a Dios en todo lo que hagan.

Una persona de mente y corazón impuros no puede ver a Dios, no puede ser sensible a su voz, ni puede discernir cuando el Espíritu Santo lo quiere guiar. El hombre de corazón turbio tiene sus sentidos cubiertos por la contaminación del pecado, la mentira, las impurezas. En cambio, los puros verán a Dios espiritualmente y verán sus manifestaciones físicas, tanto en sí mismos como en los demás.

¿Cuál es el tercer grupo de bienaventuranzas?

En este tercer grupo, Jesús nos enseña a restaurar las relaciones entre los seres humanos, y nos previene de la persecución que vendrá por hacerlo. ¡Qué paradójico ser perseguidos por causa de Jesús, el salvador del mundo, y por hacer el bien a otros! Ése es el pago de una sociedad que no acepta a quienes no se conforman a sus deseos, mentalidad, normas y estándares.

7. Bienaventurados los pacificadores

"[9]Bienaventurados los pacificadores, porque ellos serán llamados hijos de Dios". Mateo 5.9

¿Quién es un pacificador?

El pacificador es aquel que trae armonía entre las personas cuyas relaciones están rotas (tesis). La paz bíblica es enmendar las relaciones que han sido hostiles, y traerlas a reconciliación, hasta el punto de exponer la propia vida para lograrlo. Ser pacificador no es tranquilidad, quietud o reposo, sino una actitud activa en pro del logro de la restauración de las relaciones hostiles. (En el Capítulo 6, enseñaré detalladamente, acerca de la paz). Un pacificador del Reino es aquel que lucha para restaurar las relaciones entre padres e hijos, pastores y ovejas, jefes y empleados, gobierno y pueblo, entre nación y nación; su deseo es traer armonía a las relaciones en todos los niveles.

¿Cuál es la recompensa de los pacificadores?

Aquellos que busquen, activamente, restaurar la paz en las relaciones hostiles, serán llamados hijos de Dios. El vocablo griego que se usa aquí es *"juíos"*, que significa hijo maduro. Jesús nos está diciendo que quien trae armonía a las relaciones rotas será llamado 'hijo maduro de Dios'. Una característica primordial de un hijo maduro es que está listo para recibir su herencia.

Ésta es la primera verdad del grupo, para la cual Dios crea otra verdad paralela-opuesta, a fin de traer un balance y formar el carácter de Cristo en el ser humano.

8. Bienaventurados los que padecen persecución por causa de la justicia.

"[10]Bienaventurados los que padecen persecución por causa de la justicia, porque de ellos es el reino de los cielos". Mateo 5.10

Una vez más, vemos que establecer la justicia y el reino de Dios en la Tierra, nos costará persecución. Pero quienes sufren persecución, son también bienaventurados (antítesis). Los pacificadores son perseguidos porque traen armonía a un mundo lleno de contiendas, peleas y disensiones. Cuando usted no se conforma a sus estándares, valores, comodidades, seguridades, deseos, temores, ansiedades y recompensas, sufrirá persecución.

¿Cuál es la recompensa de los que padecen persecución por causa de la justicia?

La recompensa de esta virtud es igual a la de los pobres en espíritu: el reino de los Cielos será de ellos. Todas las virtudes y bendiciones del Reino estarán disponibles para aquellos que han sacrificado su comodidad, su tranquilidad y seguridad por causa de la justicia. Su recompensa es eterna.

9. Bienaventurados los vituperados y perseguidos por causa de Jesús.

"[11]Bienaventurados sois cuando por mi causa os vituperen y os persigan, y digan toda clase de mal contra vosotros, mintiendo". Mateo 5.11

Buscar y establecer la justicia nos traerá persecución. Ser pacificadores también nos traerá persecución; e identificarnos con Jesús nos traerá aun más persecución (síntesis). Él dice que como nuestros perseguidores no encontrarán ninguna falta en nosotros, mentirán.

Ser vituperado es ser reprendido, censurado, criticado con dureza. Muchas veces, los cristianos son criticados o censurados por su fe. El mundo intenta silenciarlos porque no quiere oír las verdades de la palabra de Dios. Pero Jesús dice que eso los hace bienaventurados, porque trae una hermosa recompensa.

¿Cuál es la recompensa de aquellos perseguidos por causa de Jesús?

"[12]Gozaos y alegraos, porque vuestro galardón es grande en los cielos; porque así persiguieron a los profetas que fueron antes de vosotros". Mateo 5.12

El galardón en los Cielos es grande para aquellos que, en vez de negar a Cristo o permanecer en una posición neutral, se juegan la vida por el reino de Dios y su justicia. Esto trae mucho gozo y alegría, y crea un balance a toda la persecución que se sufre por ser pacificador, por causa de la justicia y por causa de Cristo. Somos guerreros felices; no tratamos de serlo, ya lo somos.

En conclusión, Jesús nos enseña que los pacificadores son felices, bienaventurados, porque traen armonía a las relaciones hostiles. También nos enseña que buscar y hacer que el derecho prevalezca para otros, nos traerá persecución. Y añade que seremos perseguidos por identificarnos con Él y con su reino, porque sus principios y valores son contrarios al sistema de este mundo. Pero también nos alienta, dándonos a conocer que todo esto tiene gran recompensa y galardón en la Tierra y en el Cielo. Por lo tanto, tenemos que estar listos para pelear y establecer el Reino aquí, y que esta persecución no nos tome por sorpresa. Jesús nos insta a regocijarnos y alegrarnos, porque éste es el antídoto a la persecución.

Capítulo 6

Los elementos esenciales del reino de Dios

Cierto hombre recibió en pago por un trabajo, una barra de oro puro, en cuyo costado tenía grabado su valor: "18 quilates". La barra brillaba como oro y su peso era el justo. Por precaución, el hombre la llevó a la joyería para que un experto la revisara. Una vez allí, el joyero sacó sus instrumentos y comenzó a estudiarla. En pocos minutos, le dijo con total certeza: "esta barra no es de oro puro; es una mezcla de varios materiales". El grabado decía que era oro puro, pero el experto descubrió las impurezas.

Hoy día sucede lo mismo en la Iglesia y en los círculos religiosos: muchos hablan y enseñan del Reino, usan el lenguaje del Reino, creen en Dios, van a la iglesia y dan sus ofrendas; llevan grabado un sello de legitimidad, pero por dentro, están vacíos del Reino. En sus corazones, sólo hay soledad e inseguridad... ¡Están sedientos de algo diferente! Todo eso ocurre porque los elementos esenciales del Reino no están presentes en sus vidas. El sello puede ser muy impresionante, pero si esa iglesia o persona no tiene los elementos puros del Reino, no es del Reino. Como consecuencia, lo que tiene es una religión muerta que no llena su corazón, no importando qué religión profese.

Guiado por el Espíritu Santo, explicaré en detalle los elementos esenciales que conforman el reino o gobierno de Dios, y cómo saber si están operando en nuestras vidas. Pero previo a ello, debemos saber cómo entrar al reino de Dios, a fin de que estos elementos operen legalmente en nosotros.

¿Cómo se entra al reino de Dios?

"[3]Respondió Jesús y le dijo: De cierto, de cierto te digo, que el que no naciere de nuevo, no puede ver el reino de Dios. [4]Nicodemo le dijo: ¿Cómo

puede un hombre nacer siendo viejo? ¿Puede acaso entrar por segunda vez en el vientre de su madre, y nacer? [5]Respondió Jesús: De cierto, de cierto te digo, que el que no naciere de agua y del Espíritu, no puede entrar en el reino de Dios". Juan 3.3-5

Antes de esto, al comenzar su ministerio, Jesús había exhortado a la multitud con dos palabras clave. Recordémoslas:

- Arrepentíos: un cambio total de mente y forma de vivir.
- Creed en el evangelio: aceptar las buenas nuevas del Reino.

¿Qué es nacer de nuevo?

La expresión **nacer de nuevo** es el vocablo griego *"gennáo"*, que significa engendrar. Entonces, nacer de nuevo del espíritu es ser engendrado por el Espíritu Santo –único medio para entrar al reino de Dios–.

¿Cómo toma lugar el engendramiento? La palabra de Dios nos habla de tres etapas o fases para que el Reino venga o entre a nosotros y el Espíritu nos engendre. Éstas son:

Es necesario nacer de nuevo
para entrar al reino de Dios; y esto sólo se logra
por medio de su Espíritu Santo.

- **El reino se "ha acercado".**

  "[17]Desde entonces comenzó Jesús a predicar, y a decir: Arrepentíos, porque el reino de los cielos se ha acercado". Mateo 4.17

  Ésta es la etapa en que alguien nos presenta el evangelio del Reino. En ese momento, las buenas nuevas están a la puerta de nuestra vida, pero es nuestra decisión dejarlas entrar. El Reino viene, nosotros lo aceptamos o lo rechazamos. Muchas personas lo rechazan y siguen su vida sin cambio alguno; no hay transformación; otras lo reciben y sus vidas son cambiadas para siempre. Cuando abrimos las puertas de nuestro corazón y dejamos entrar a Jesús, toma lugar el nuevo nacimiento: somos engendrados por el espíritu de Dios y nacidos en su reino. En ese momento, los elementos de su gobierno comienzan a afectar nuestras vidas y a modificar todo a nuestro alrededor.

Cuando una persona se arrepiente genuinamente, se acaba todo lo malo de vivir independiente de Dios. La miseria, la depresión y la soledad quedan atrás, pues el gozo, la paz, la justicia y el poder del Reino comienzan a ser efectivos en su nueva vida. La humanidad entera tiene que abrir su corazón al reino de Dios. Si usted no lo ha hecho, estoy seguro de que alguien llegará a su vida y le acercará el reino de Dios. Cuando eso suceda, abra su corazón y nacerá de nuevo. ¡Su vida será transformada!

¿Quiénes *no* pueden entrar al reino de Dios?

"[9]¿No sabéis que los injustos no heredarán el reino de Dios? No erréis; ni los fornicarios, ni los idólatras, ni los adúlteros, ni los afeminados, ni los que se echan con varones, [10]ni los ladrones, ni los avaros, ni los borrachos, ni los maldicientes, ni los estafadores, heredarán el reino de Dios". 1 Corintios 6.9, 10

La Escritura es muy específica, y nos da una lista de las personas que no pueden entrar al reino de Dios; por lo general, son individuos que han rechazado a Jesús y quieren continuar en su conducta pecaminosa, no quieren arrepentirse de sus pecados.

- **El reino está en, dentro o entre nosotros.**

"[20]...El reino de Dios no viene con señales visibles o en una exposición visible. [21]Tampoco dirá la gente: ¡Mira! ¡Aquí (está)! o ¡véanlo (está) allí! Porque, mirad que el reino de Dios está dentro de vosotros (en vuestros corazones) y entre vosotros (rodeándoles)". Lucas 17.20, 21 – Biblia Amplificada

Ésta es la etapa en que el reino y la persona de Dios vienen a vivir dentro de nosotros. Él pone su palabra en nuestro corazón, y el Espíritu Santo nos da el poder para caminar en ella. Ahora, dondequiera que vaya, el reino de Dios va con usted; entonces, se convierte en un agente de cambio para los que aún no han oído las buenas nuevas. Allí usted puede ver los elementos del Reino operando en su vida, cuando puede influenciar a otros para buscar a Dios y llevarlos del reino de las tinieblas al de la luz admirable, Jesús.

- **El reino de Dios ha llegado o está sobre nosotros.**

  "[28]Pero si yo por el Espíritu de Dios echo fuera los demonios, ciertamente ha llegado a vosotros el reino de Dios". Mateo 12.28

  Ésta es la etapa en que el Espíritu Santo trae una manifestación sobrenatural, visible del poder del Reino que habita *en* nosotros. Tal manifestación puede ser: echar fuera demonios, sanar a los enfermos, operar milagros o cualquier otra manifestación sobrenatural del poder de Dios.

En este punto, es importante recordar que Jesús, el rey absoluto del Reino, se convirtió en hombre, murió en la cruz, y resucitó, para salvar a la humanidad y darle la oportunidad de nacer de nuevo y vivir en su reino. Con todo esto en mente, entremos de lleno a conocer los elementos esenciales que conforman el Reino.

¿Cuáles son los elementos esenciales del reino de Dios?

"[17]...porque el reino de Dios no es comida ni bebida, sino justicia, paz y gozo en el Espíritu Santo". Romanos 14.17

1. La justicia

Es de suma importancia entender que la justicia es uno de los elementos más relevantes del gobierno celestial. Debido a que el tema de la justicia fue tratado de modo amplio en los capítulos anteriores, no lo desarrollaremos aquí. Sólo me permito recordarle que éste es el elemento más esencial del Reino, y que fue parte del mensaje principal de Jesús en la Tierra.

2. La paz

El apóstol Pablo enseñó que la paz es un componente importante del Reino. También Isaías habló de ella.

"[17]Y el efecto de la justicia será paz; y la labor de la justicia, reposo y seguridad para siempre". Isaías 32.17

La paz es el resultado de las obras de justicia, consistentes en llevar la salvación a los hombres, restaurar o hacer prevalecer el derecho, realizar obras de justicia social y gobernar con imparcialidad. ¡Qué poderosa es esta Escritura! El efecto de lograr que el derecho prevalezca es paz y seguridad para nuestra sociedad. Pero esto sólo es posible por medio de la instauración del gobierno del reino de Dios en la Tierra. Porque por mucho que un líder quiera traer paz a su nación, le será muy difícil hacerlo si no incluye los principios del Reino en su plan. Todo lo bueno procede de Dios. El hombre no puede sacar nada bueno ni efectivo por sí o de sí mismo. Y así sucede en todos los aspectos de la existencia del hombre y del Universo.

La paz y la seguridad en una sociedad
vienen como consecuencia de la llegada del reino de Dios.
Cualquier intento humano fallará, acarreando nuevos conflictos.

¿Qué es la paz?

Paz es la palabra hebrea *"shalom"*, que también es la palabra griega *"eirene"*, y significan serenidad, quietud, reposo, fortaleza, tranquilidad; el final de las hostilidades o la guerra. Pero si nos enfocamos en la palabra *"eirene"*, en realidad, esta definición es sólo una parte de su significado.

"Eirene" significa, esencialmente, restaurar una relación hostil, de manera que las dos partes se reconcilien perfectamente y vivan juntas en una relación de verdadero amor. La paz poco tiene que

ver con simple tranquilidad o quietud; primeramente, significa reconciliar, restaurar, enmendar relaciones rotas. Es traer armonía entre las personas y, principalmente, entre Dios y los hombres.

En los tiempos en que se escribió el Nuevo Testamento, la palabra "*eirene*" se usaba en el área de la medicina como un término para describir la sanidad o restauración de un hueso roto. Cuando un hueso roto vuelve a conectarse, viene a ser más fuerte y más duro o resistente que antes. Un hueso así restaurado, nunca vuelve a quebrarse en el mismo sitio en que se partió. Se produce, lo que los médicos denominan un *cayo óseo*, que resulta más resistente que el mismo hueso. Se decía entonces que el hueso venía a estar en paz ("*eirene*").

Resumiendo, un pacificador es aquel que reconcilia y restaura relaciones rotas. Todos nosotros, en algún momento, hemos roto relaciones, hemos roto un hueso del cuerpo de Cristo, un hueso de nuestra familia. Por eso Dios está levantando pacificadores que restauren relaciones rotas entre naciones, entre padres e hijos, entre familias. Jesús, el rey del gobierno de Dios, puso su vida para restaurar nuestra relación con el Padre. Por eso ahora, ésta es más fuerte de lo que era antes de que se rompiera. Nuestra relación ha sido restaurada, ha sido traída a paz "*eirene*".

"[20]...y por medio de él reconciliar consigo todas las cosas, así las que están en la tierra como las que están en los cielos, haciendo la paz mediante la sangre de su cruz". Colosenses 1.20

Un Dios totalmente inocente, vino en forma humana y puso su vida en sacrificio para hacer la paz con los hombres. Jesús era un pacificador y dijo de los pacificadores algo muy poderoso.

"[9]Bienaventurados los pacificadores, porque ellos serán llamados hijos de Dios". Mateo 5.9

En ese tiempo, los hombres eran llamados por la cualidad dominante de su carácter. Por ejemplo, Juan y Santiago eran llamados "los hijos del trueno". Así los pacificadores son llamados hijos de

Dios, porque hacen lo que Él hace: vencen el mal con el bien, y el odio con el amor. Por eso son hijos de Dios.

¿Está usted dispuesto a enmendar las relaciones rotas? ¿Está dispuesto a vencer el mal con el bien? Últimamente, ¿ha roto algún hueso en una relación?

Visto así, paz es restaurar una relación hostil, reconciliar relaciones rotas hasta el punto de dar aun la vida por ello. De esto se trata el reino de Dios, de hacer que el derecho prevalezca y que las relaciones entre Dios y los hombres, así como entre ellos mismos, sean restauradas. Cuando tenemos estos dos elementos del Reino en orden, viene el tercero...

3. El gozo

El gozo es una fuerza espiritual que nos hace estar felices y contentos, a pesar de las circunstancias externas.

"[17]...porque el reino de Dios no es comida ni bebida, sino justicia, paz y gozo en el Espíritu Santo". Romanos 14.17

El efecto de la justicia es traer salvación a los hombres, restaurar o hacer prevalecer el derecho, hacer obras de justicia social y gobernar con imparcialidad; es paz en el corazón del hombre. La paz y la justicia en la vida de una persona terminan de completar su gozo.

"[11]Estas cosas os he hablado, para que mi gozo esté en vosotros, y vuestro gozo sea cumplido". Juan 15.11

El gozo que el reino de Dios da no está basado en cosas temporales, pasajeras ni en las circunstancias positivas o negativas a nuestro alrededor. Éste es un gozo que nace como producto de tener una relación hermosa con Dios Padre y con los demás.

Podemos concluir entonces, que el sistema del mundo nos da una alternativa frágil e inestable para adquirir justicia, paz y gozo. Este mundo y sus sistemas no tienen la capacidad ni el poder necesarios para ofrecer o asegurar estas virtudes al ser humano. El mundo no es dueño de sí mismo, sino que está sujeto a maldición y al reino de las tinieblas. Por lo tanto, por más que quiera dar justicia, paz y gozo no puede, porque eso no es algo que exista fuera del reino de Dios.

También, concluimos que los primeros elementos en que consiste el reino de Dios, tienen que ver con relaciones, tanto con Dios como con los demás. Los psicólogos han encontrado que la justicia, la paz y el gozo son las necesidades básicas del ser humano, y nosotros hemos evidenciado que estos elementos sólo pueden ser hallados dentro del reino de Dios. Un reino superior, inconmovible, fuerte y eterno.

Todo el plan de Dios con el hombre es traerle su reino, para darle paz, gozo y justicia a través de una relación fraternal con Él. Jesús, el Rey, es la paz que restauró esa relación. La adoración es nuestra expresión de amor, sumisión y entrega a un rey tan perfecto y tan lleno de amor y poder.

4. La paternidad

Dios diseñó la Iglesia, la sociedad, la política, el gobierno, la familia, las relaciones humanas, para que funcionen bajo el patrón de la paternidad. Éste es un fundamento absoluto del gobierno divino. Todo lo que funciona bajo paternidad está dentro del Reino. Si un organismo funciona bajo este principio, es señal de que el Reino está allí.

La paternidad es el ingrediente perfecto
de balance al gobierno despótico y absoluto de Dios
porque encierra su entrañable amor por nosotros.

"[14]Por esta causa doblo mis rodillas ante el Padre de nuestro Señor Jesucristo, [15]de quien toma nombre toda familia en los cielos y en la tierra". Efesios 3.15

La palabra **familia** es el vocablo griego *"patriá"*, de donde viene la palabra en español patriarca, y significa esfera de la paternidad de alguien; bíblicamente, no puede haber familia sin padre.

La paternidad es uno de los elementos más importantes del reino de Dios. Hoy en día, tenemos una generación huérfana, de padres ausentes o carentes de carácter paternal. Ésa es la causa principal de que tengamos una sociedad sin valores; es la causa primordial de que los jóvenes entren a las pandillas, la homosexualidad y el crimen. Ninguno de ellos tuvo un padre que le impartiera verdadera paternidad. Aunque un padre esté presente físicamente, no significa que esté cumpliendo su rol en todos los aspectos. Después de la salvación, la necesidad mayor del ser humano es tener un padre.

Nuestra sociedad fue diseñada por Dios para funcionar bajo la paternidad. Por ende, no podemos decir que somos una iglesia de Reino si no vivimos este principio. Hoy día no necesitamos más políticos profesionales, no necesitamos más pastores asalariados, no necesitamos más hombres carismáticos, ¡necesitamos hombres con corazón de padre!, apóstoles, pastores, presidentes de naciones, políticos y padres con corazón paternal.

¿Cómo resuelve Dios el problema de la falta de paternidad?

"[17]E irá delante de él con el espíritu y el poder de Elías, para hacer volver los corazones de los padres a los hijos, y de los rebeldes a la prudencia de los justos, para preparar al Señor un pueblo bien dispuesto". Lucas 1.17

Dios está enviando el espíritu de Elías para restaurar la paternidad a través de Jesús y su reino inconmovible. No puede haber Reino sin paternidad. El reino de Dios consiste en justicia, paz, gozo, poder y, también, paternidad. Cada uno de nosotros, como creyente, necesita tener una relación íntima con el Padre celestial en la cual pueda clamar: "¡*Abba* padre!".

"[6]Y por cuanto sois hijos, Dios envió a vuestros corazones el Espíritu de su Hijo, el cual clama: ¡Abba, Padre!". Gálata 4.6

Una vez más, comprobamos que el reino de Dios consiste en relaciones. En este caso, la paternidad consiste en tener una relación de padre e hijo con nuestro Padre celestial, en la cual desarrollemos una relación de intimidad y respeto.

Sin la revelación de la paternidad, no puede haber entendimiento del reino de Dios. Una vez que comprendemos esa relación, vivir bajo el gobierno totalitario del Padre amoroso no es difícil, sino que es gozo, seguridad, descanso y protección. Si usted nunca ha tenido esa relación con Dios, debe buscarla con todo su corazón.

El Espíritu Santo ha venido para revelarnos al Padre; éste es uno de sus propósitos. En el libro de Gálatas, Pablo lo menciona como el espíritu de adopción, por el cual clamamos ¡Papi! o ¡*Abba*! Y este mismo Espíritu es el que clama: *"¡Tú eres mi hijo amado!"*. Reciba hoy la adopción por fe. Usted ya no es huérfano... El Padre le ama, y por eso ha traído su Reino a su vida. ¡Somos hijos amados de Dios!

Si predicamos el Reino sin la paternidad de Dios, puede ser visto como un régimen muy severo y duro; pero cuando lo vemos en términos de un hijo amado que gozosamente obedece a su amado padre —porque sabe que es bueno y que su padre es infinitamente sabio— entonces no es un régimen, sino una relación. Esto cambia totalmente el sentido de la relación y de los conceptos de sumisión, dependencia, obediencia absoluta, totalitarismo, etcétera.

Jesús no encontró difícil vivir en el Reino; por el contrario, para Él fue un gozo absoluto porque su relación de amor con el Padre era gloriosa. Ambos se entendían, buscaban el mismo fin y estaban dispuestos a pagar el mismo precio para alcanzarlo.

Antes de pasar al próximo elemento del Reino, tome un momento y analice su relación con Dios a la luz de las siguientes preguntas:

¿Conoce usted al Padre como lo conoció Jesús? ¿Tiene una relación de amor con Él? ¿Puede verse como un verdadero hijo? ¿Ha recibido el espíritu de adopción?

El problema de la mayoría de la gente de esta generación, es que no tuvo una buena relación con su padre natural. Esto es una gran tragedia, pues por esa razón, muchos no tienen idea de lo que es ser un padre, ni saben cómo ser buenos hijos. Esto dificulta mucho la relación con el Padre celestial, ya que el padre natural es la única figura que el hombre tiene para acercarse o ver a Dios como un padre. Debido a esto, en la mayoría de los casos, la única forma de conocerlo es a través del Espíritu Santo; Él nos enseña y nos revela el corazón del Padre. Si usted no lo conoce, pídale al Espíritu Santo y Él se lo revelará.

La paternidad es uno de los elementos fundamentales del reino de Dios. Se puede decir que la paternidad es el principio y el fin del Reino; la razón de ser y el efecto del mismo: una relación paternal de amor entre Dios y el hombre en un reino perfecto y eterno. Lo importante a resaltar aquí, es que la relación con el Padre celestial está disponible para usted.

5. El amor

El Reino consiste en otro elemento vital para su existencia, que es también uno de sus fundamentos: el amor. Conectándolo con el elemento anterior, el amor es la virtud de un padre amoroso que se brinda o se entrega incondicionalmente a sus hijos.

"[16]Porque de tal manera amó Dios al mundo, que ha dado a su Hijo unigénito, para que todo aquel que en él cree, no se pierda, mas tenga vida eterna". Juan 3.16

La paternidad no existe sin amor,
y el amor no es completo
si no se aplica con un corazón de padre.

El Padre celestial nos ama tanto, que envió a su hijo a morir por nosotros, a tomar nuestro lugar. Aun cuando nosotros estábamos viviendo en nuestros delitos y pecados, Él nos reconcilió: restauró la relación entre Dios Padre y nosotros. Jesús nos amó con el mismo amor que el Padre le amó a Él.

"[9]Como el Padre me ha amado, así también yo os he amado; permaneced en mi amor. [10]Si guardareis mis mandamientos, permaneceréis en mi amor; así como yo he guardado los mandamientos de mi Padre, y permanezco en su amor". Juan 15.9, 10

Yo creo que podemos hablar mucho acerca del amor, pero lo más importante es entender que el Reino consiste en vivir en amor a Dios y a los demás. No podemos decir que el Reino vive en nosotros cuando no andamos en amor.

6. El orden

"[40]...pero hágase todo decentemente y con orden". 1 Corintios 14.40

¿Qué significa orden?

Orden es el vocablo griego *"tásso"*, que significa poner en orden, disponer, señalar posiciones de autoridad militar y civil. Todo lo que se ejecuta en el reino de Dios tiene un orden, y es así en todos los aspectos. El orden es un elemento muy importante para traer el reino de Dios, y una condición para que éste permanezca en un lugar. Lo opuesto al orden es la confusión. Donde no se señala un orden, siempre habrá confusión, y Dios no habita en ella.

"[33]...pues Dios no es Dios de confusión, sino de paz. Como en todas las iglesias de los santos". 1 Corintios 14.33

¿Quiénes deben poner orden en el cuerpo de Cristo?

Los apóstoles del Señor Jesús son los responsables de establecer y hacer respetar el orden del Reino en las iglesias locales y a través del mundo.

"[34]...Las demás cosas las pondré en orden cuando yo fuere".
1 Corintios 11.34

Dios tiene un orden en todo lo que ha creado; Él no es dios de confusión. En todo lo que hace y en su modo de funcionar, su reino siempre señala un orden, una organización orientada a alcanzar los propósitos de dicho reino. Como padre de todo lo creado, Dios ha puesto orden en los tiempos, en la autoridad, en el hogar, en el sacerdocio, en los ministerios, en la doctrina, en el liderazgo; orden para edificar, ejecutar, comenzar; orden en nuestros caminos, en nuestros pasos, en nuestro destino; orden en los días, semanas, años y siglos, y en los ciclos de la vida, etcétera. Dios ha establecido el orden en su reino para que no haya caos, sino bendición. Por lo tanto, el orden es un elemento constituyente del Reino. Si permitimos que este elemento opere en nuestras vidas, seremos mucho más efectivos y alcanzaremos nuestras metas y nuestro destino.

7. La obediencia, la sumisión y la autoridad

En uno de los primeros capítulos, estudiamos que en el Cielo se obedece a Dios totalmente. El rey es un padre amoroso, a quien obedecemos, no por obligación sino por amor, y porque en su absoluto totalitarismo, encontramos completa libertad.

"[8]Y aunque era Hijo, por lo que padeció aprendió la obediencia".
Hebreos 5.8

Jesús, siendo el hijo de Dios, también tuvo que aprender a obedecer a su padre. ¡Cuánto más nosotros! El reino de Dios no puede ser establecido si no se obedece su autoridad, su voluntad, su palabra y sus mandamientos. Dondequiera que opera el principio de la obediencia, el reino de Dios está. Lo opuesto a la obediencia es la rebelión o independencia, que fue el pecado que llevó a Adán a perder el Reino.

La única manera de ganar autoridad en el Reino, es sometiéndose a las autoridades y sirviendo a Dios y a nuestro prójimo.

Dondequiera que el Reino es establecido, encontramos una cabeza ejecutiva como autoridad puesta por Dios, y la obediencia y sumisión a ella por amor, no por imposición.

8. La humildad

"[3]...y dijo: De cierto os digo, que si no os volvéis y os hacéis como niños, no entraréis en el reino de los cielos. [4]Así que, cualquiera que se humille como este niño, ése es el mayor en el reino de los cielos".
Mateo 18.3, 4

¿Qué es la verdadera humildad?

La verdadera humildad es estar consciente de la esencia de uno mismo, de su valor e identidad en Dios. Humilde es aquel que reconoce, sin exagerar, ni tampoco quitar, lo que es como persona en su trabajo, en el ministerio, en su familia, etcétera.

La humildad no es ocultar lo que uno es,
sino ser y decir, sin más ni menos,
lo que uno realmente es; con el convencimiento
de que no es mérito propio sino dádiva de Dios.

Ilustración: Yo me considero un buen líder. No creo ser el mejor, pero tampoco soy el peor, y sé que soy bueno. Desde la perspectiva bíblica, humildad es saber reconocer lo que somos –no de acuerdo a nuestra forma de pensar, ni a los parámetros de este mundo–.

De manera simultánea, la palabra **humilde** significa o describe a una persona desprovista de toda arrogancia y orgullo; enseñable, moldeable, que fácilmente pide perdón cuando se equivoca; da crédito y honor a Dios, y también a los demás; baja la cabeza cuando ofende a otros y sabe pedir perdón; incluso, puede rebajarse cuando no tiene que hacerlo. Es alguien que depende totalmente de Dios y está consumido por hacer su voluntad.

Jesús, nuestro ejemplo

"[8]...y estando en la condición de hombre, se humilló a sí mismo, haciéndose obediente hasta la muerte, y muerte de cruz". Filipenses 2.8

Jesús nos enseñó que todos los recursos del Reino están disponibles para aquellos que son humildes. Al estudiar los elementos en los cuales consiste el Reino, podemos concluir que casi todos ellos tienen que ver con relaciones, tanto con Dios como con los hombres. Esto nos lleva a una conclusión de extrema importancia: El reino de Dios es un reino de relaciones. Y para reconocer que está en un lugar o individuo, debemos encontrar estos elementos allí. Una vez establecido el Reino, las personas realmente impactadas por él comienzan a vivir y caminar en esos principios. Nuestro trabajo como ciudadanos del gobierno de Dios, es predicar, creer y extender el Reino en la Tierra, y tomar ciudades, naciones y aun continentes.

El Reino se establece
por medio de relaciones de pacto.

"[47]Asimismo el reino de los cielos es semejante a una red, que echada en el mar, recoge de toda clase de peces". Mateo 13.47

El Reino está en nuestro corazón, sobre nosotros y alrededor de nosotros. ¡Tomemos todo a nuestro alrededor! Practiquemos la justicia, luchemos para ver el derecho prevalecer, pidamos a Dios que nos dé hambre y sed de justicia; hagamos hechos o actos justos con los demás, amemos la justicia y odiemos la iniquidad. Busquemos y hagamos la paz, restauremos relaciones rotas; esto nos llevará a tener un corazón lleno de gozo, que no depende de las circunstancias externas, sino de tener el reino de Dios establecido en nuestras vidas.

Pidamos al Espíritu Santo que nos enseñe y nos revele la paternidad de Dios, que nos llene de su amor, y nos enseñe a andar en obediencia y sumisión unos con otros, mostrando una humildad genuina, no fingida. Todo esto, para que caminemos como Jesús, amando a nuestros semejantes. Es necesario que traigamos el orden del Reino a nuestras actividades, iglesia, familia, negocio, porque de otra forma, viviremos en confusión. Cuando estamos sujetos a un orden, podemos obedecer y someternos con gozo a la voluntad de Dios.

Tomemos la decisión de caminar con una mentalidad humilde como la de nuestro modelo, de ser enseñables, abiertos a lo nuevo del Espíritu, a nuevas formas de pensar, y reconociendo que todo lo que somos y tenemos, se lo debemos a Dios.

Lo que acabamos de estudiar es la primera parte de los elementos del Reino, la cual tiene que ver con relaciones. En el próximo capítulo, estudiaremos la otra parte, la sobrenatural.

El orden del Reino trae gozo a nuestras vidas,
y nos ayuda a relacionarnos correctamente
con nuestros hermanos.

Capítulo 7

Un reino sobrenatural

Cuando el doctor *T. L. Osborn* vino a nuestra iglesia para la conferencia de liderazgo, me confesó algo que impactó mi corazón. Él dijo: "Cuando era muy joven, mi esposa *Daisy* y yo fuimos a la India como misioneros –queríamos llevar el evangelio a musulmanes e hindúes–. Para nuestro asombro, una vez allí, no pudimos convencerlos de que Jesucristo era el hijo de Dios y que había resucitado de los muertos, porque nos pidieron pruebas. Les compartimos muchos versos bíblicos, pero ellos tenían su propia biblia, el Korán. Los musulmanes creen que ésta es la palabra de Dios, dada por la boca de su profeta Mahoma. Ambos libros son lindos –nos decían– con cobertura dorada por encima y delicadas hojas, pero –preguntaban– ¿cuál atesora la palabra de Dios? Nosotros no pudimos probar que la nuestra era la verdadera palabra de Dios porque, en ese tiempo, no entendíamos el poder de la fe ni conocíamos los milagros como señal de la veracidad de la Palabra. No comprendíamos que el reino de Dios es un reino sobrenatural... y regresamos a América avergonzados y derrotados.

Tiempo después, tuvimos una revelación extraordinaria de Jesús en nuestra habitación, y cuando esto sucedió, volvimos a la India con el poder de lo sobrenatural. Desde entonces, dondequiera que hemos ido, hemos probado que Dios es todopoderoso y hace milagros, sanidades, prodigios y maravillas, y que Jesús está vivo porque resucitó de entre los muertos. Jesús no es un profeta más, es Dios mismo hecho carne".

Partiendo de este testimonio, el Señor me mostró que su reino tiene dos partes, y que una sin la otra, no es suficiente para alcanzar al inconverso. Se necesita de ambas. Ésas dos partes son:

- **Relaciones:** En el capítulo anterior, nos abocamos a lo que es justicia, paz, paternidad, amor, etcétera. El reino de Dios consiste en relaciones.

- **Poder:** Éste es un reino sobrenatural que opera en el poder dado por la omnipotencia de su rey. Esto es lo que vamos a estudiar a continuación.

La diferencia entre el Reino que se predica y el que se establece, es marcada cuando se pasa de las palabras a los hechos, de la teoría a una demostración visible de su poder inherente. Éste es un cruce violento que no todos están dispuestos a realizar porque implica un mayor grado de fe, compromiso y riesgo, y se debe pagar un precio. La mayor parte de las religiones del mundo hablan muy bonito, pero no tienen poder para cambiar a nadie. En el relato del Dr. *T.L. Osborn*, la diferencia vino cuando, de regreso en la India, pasó de las palabras a una demostración visible y genuina del poder del evangelio que predicaba. Los enfermos se sanaron, los endemoniados fueron libres, etcétera. Así pudo probar que su mensaje era verdad, que la Biblia es la palabra del Dios verdadero y que Jesucristo también es el Salvador de hindúes y musulmanes.

No importa qué tan fuerte sea una tradición,
una religión o una cultura, cuando el poder de Dios se manifiesta,
todos los argumentos se derriban.

En el Antiguo Testamento, cuando se hablaba del Dios de Israel, todos los pueblos y naciones sabían que éste no vivía en lo natural, sino en el mundo invisible; por eso le temían tanto. Los dioses de ellos eran de madera y barro, pero el Dios de Israel era sobrenatural. La palabra reino también se traduce como sobrenatural. Jesús vino a expresar el poder de su reino a la Tierra, a lo natural. De ahí que el reino de Dios no consista solamente en relaciones, sino también en un poder sobrenatural manifiesto; ésa es su segunda faceta.

"[20]Porque el reino de Dios no consiste en palabras, sino en poder".
1 Corintios 4.20

¿Qué tipo de poder es éste?

- Poder para ser
- Poder para hacer u obrar

En el Nuevo Testamento, hay un enorme grupo de palabras en griego derivadas de una misma, pero con distintas connotaciones. Sin embargo, todas están enfocadas a enriquecer y transmitir en palabras una cualidad sobrenatural, no humana, perteneciente sólo a la divinidad.

"[49]He aquí, yo enviaré la promesa de mi Padre sobre vosotros; pero quedaos vosotros en la ciudad de Jerusalén, hasta que seáis investidos de PODER *desde lo alto". Lucas 24.49*

La palabra **poder** es derivada del griego *"dúnamis"*, *"dunástes"*, *"dunatós"*, y los verbos *"dunamóo"* y *"dunatéo"*. Todas se traducen como poder, y aparecen más de trescientas veces en la Escritura. Vamos a conocer sus tres significados principales:

❖ **Poder:** se traduce como poder de fuerza, fortaleza, facultad para lograr algo. Es la habilidad para llevar a cabo cualquier cosa.

"[13]Todo lo PUEDO *en Cristo que me* FORTALECE*". Filipenses 4.13*

La palabra *"dúnamis"* es usada dos veces en este verso, el cual, literalmente, se lee así: *"Soy* PODEROSO *para hacer todas las cosas en Cristo, quien con su* PODER *me capacita".*

❖ **Capaz:** El mismo verso también se traduce como *"...poderosamente capaz..."*, nos dice que Dios es capaz.

"[20]Y a Aquel que es PODEROSO *para hacer todas las cosas mucho más abundantemente de lo que pedimos o entendemos, según el* PODER *que actúa en nosotros". Efesios 3.20*

"Dios es poderosamente capaz para hacer mucho más abundantemente de lo que pedimos o pensamos, de acuerdo al poder que opera en nosotros". Todas las veces que describe específicamente lo que podemos hacer, nos pone en la misma categoría de Dios; claro, después de que el poder del Reino ha venido sobre nosotros por el Espíritu Santo. Sin este poder, nada podemos hacer. Vale aclarar que con esto no quiero decir que seamos Dios, sino que somos poderosos porque Jesús nos da su poder.

- **Posible:** Nuevamente, la misma palabra griega.

"[26]Y mirándolos Jesús, les dijo: Para los hombres esto es imposible; mas para Dios todo es POSIBLE*". Mateo 19.26*

Todo es posible para el que cree.

"[23]Jesús le dijo: Si puedes creer, al que cree todo le es POSIBLE*". Marcos 9.23*

La Biblia también, señala que todas las cosas que son posibles para Dios, son posibles para nosotros. Es decir, si Dios puede hacer algo, sin duda, el creyente también puede hacerlo, siempre y cuando esté correctamente relacionado con Él, lleno del Espíritu Santo y en su reino.

Cuando, por medio del nuevo nacimiento, una persona entra al Reino, recibe el poder para ser, y el poder para hacer u obrar. Esto no lo tiene ninguna religión. Los hombres lo buscan en sus propias fuerzas, pero no pueden alcanzarlo; porque el poder para ser y después obrar, sólo se encuentra en Dios. La mayor parte de la gente está buscando poder para cambiar las circunstancias a su alrededor. Todos quieren tener dominio y control de lo que sucede, pues el hecho de que las cosas estén sueltas y fuera de su control, les provoca inseguridad.

Hay un sinnúmero de personas que busca poder para ser rica, buena, poderosa, inteligente, reconocida, famosa; necesita poder para cambiar su personalidad o su carácter, pero no lo halla. El mundo está en una constante búsqueda, en diferentes religiones, prácticas y disciplinas. La gente quiere el poder para cambiar sus circunstancias.

"[18]Cuando vio Simón que por la imposición de las manos de los apóstoles se daba el Espíritu Santo, les ofreció dinero, [19]diciendo: Dadme también a mí este poder, para que cualquiera a quien yo impusiere las manos reciba el Espíritu Santo". Hechos 8.18, 19

Simón era un mago que quería el poder de Dios, pero sin entrar en el Reino ni creer en Jesús. Ese poder está disponible para todos aquellos que creen en Jesús como Señor, y entran a su reino por medio del nuevo nacimiento y del arrepentimiento de sus pecados.

Lo sobrenatural es la marca del reino de Dios

La vida de Jesús se caracterizó por llevar la marca de lo sobrenatural del Reino. Cuando entramos al Reino y conocemos a Jesús, su Espíritu Santo nos da el poder para modificar nuestras circunstancias; poder para cambiar lo malo de nuestro carácter, de nuestra conducta y de nuestras decisiones. Si Jesús vive en nuestro corazón y hemos sido llenos de su Espíritu Santo, lo sobrenatural surge a cada momento. Jesús tenía poder sobre la naturaleza y las leyes físicas. Esto lo comprobamos cuando calmó la tormenta, cuando caminó sobre las aguas, cuando transformó el agua en vino, etcétera.

A nadie le gusta ser controlado por otros. El ser humano necesita estar siempre en control de sus situaciones; por eso, necesita el poder del Reino. El hombre fue hecho para tener dominio sobre todo lo creado por Dios (excepto sus semejantes). La gente siguió a Jesús por las manifestaciones del poder del Reino, ya que mediante ellas, demostraba que Él tenía control sobre todo.

Muchos creen que pueden encontrar el poder en la brujería, el ocultismo, la religión, los negocios, las ciencias o la política, pero no es así. El verdadero poder sólo está en el reino de Dios, el cual nos *capacita poderosamente* para *hacer* milagros, para *hacer* que las situaciones en el negocio cambien, para *hacer* que todo sea posible, para *ser* diferentes al mundo, para *ser* iguales a Jesús.

El reino de Dios
no consiste solamente en palabras,
sino en poder para ser y hacer.

El único lugar donde Jesús no hizo milagros fue en su tierra, por causa de la incredulidad –obstáculo principal para que el Reino se manifieste–.

"[58]Y no hizo allí muchos milagros, a causa de la incredulidad de ellos". Mateo 13.58

Ellos le habían visto crecer por treinta años, pero nunca le habían visto hacer un milagro. Estaban familiarizados con el Jesús carpintero, sin poder, por lo tanto el Jesús hacedor de milagros era un extraño para ellos. Muchos cristianos crecen en las iglesias viendo un Cristo de religión, muerto, no conocen al Cristo poderoso, hacedor de milagros y prodigios. ¿Ha visto usted milagros en su iglesia? ¿Cuántas veces han sucedido?

¿Cuáles son las características de este reino sobrenatural?

Hasta aquí entendemos que el reino de Dios es distinto y superior a otros reinos; pero para profundizar en el tema y comenzar a vivir plenamente en él, vamos a conocer sus características:

1. **Las leyes del reino de Dios son superiores a las de cualquier otro reino.**

   Cuando Jesús caminó en la Tierra, lo hizo según las leyes del reino de Dios, no las del reino natural. Por eso tenía dominio sobre el tiempo, el espacio, la materia, la tierra, la gravedad, la muerte, la enfermedad, las aguas, la tormenta, el viento, los demonios, etcétera. La diferencia estaba en qué tipo de leyes seguía. Jesús tenía, por ejemplo:

- **Dominio sobre la materia**

"[17]Y ellos dijeron: No tenemos aquí sino cinco panes y dos peces. [18]Él les dijo: Traédmelos acá. [19]Entonces mandó a la gente recostarse sobre la hierba; y tomando los cinco panes y los dos peces, y levantando los ojos al cielo, bendijo, y partió y dio los panes a los discípulos, y los discípulos a la multitud. [20]Y comieron todos, y se saciaron; y recogieron lo que sobró de los pedazos, doce cestas llenas. [21]Y los que comieron fueron como cinco mil hombres, sin contar las mujeres y los niños". Mateo 14.17-21

El sistema o las leyes de cualquier reino del mundo, aun el de las tinieblas, señalan que uno más uno es dos. Estos reinos se rigen por la ley natural de la matemática; pero en este caso, esta ley no funcionó porque Jesús operó en una ley superior de multiplicación, la cual produjo la abundancia.

- **Dominio sobre las fuerzas de la naturaleza**

"[35]Aquel día, cuando llegó la noche, les dijo: Pasemos al otro lado. [36]Y despidiendo a la multitud, le tomaron como estaba, en la barca; y había también con él otras barcas. [37]Pero se levantó una gran tempestad de viento, y echaba las olas en la barca, de tal manera que ya se anegaba. [38]Y él estaba en la popa, durmiendo sobre un cabezal; y le despertaron, y le dijeron: Maestro, ¿no tienes cuidado que perecemos? [39]Y levantándose, reprendió al viento, y dijo al mar: Calla, enmudece. Y cesó el viento, y se hizo grande bonanza. [40]Y les dijo: ¿Por qué estáis así amedrentados? ¿Cómo no tenéis fe? [41]Entonces temieron con gran temor, y se decían el uno al otro: ¿Quién es éste, que aun el viento y el mar le obedecen?". Marcos 4.35-41

Las leyes de la naturaleza fueron vencidas por las leyes del reino de Dios. La Creación no está sujeta a las leyes del hombre, pero sí está sujeta a las leyes del Reino. Jesús ejerció su autoridad sobre la Creación, y la tempestad se sujetó a su palabra, porque estaba operando en una ley superior.

- **Dominio sobre la muerte**

"[22]Varones israelitas, oíd estas palabras: Jesús nazareno, varón aprobado por Dios entre vosotros con las maravillas, prodigios y señales que Dios hizo entre vosotros por medio de él, como vosotros mismos sabéis; [23]a éste, entregado por el determinado consejo y anticipado conocimiento de Dios, prendisteis y matasteis por manos de inicuos, crucificándole; [24]al cual Dios levantó, sueltos los dolores de la muerte, por cuanto era imposible que fuese retenido por ella". Hechos 1.22-24

Ahora entendemos por qué Jesús pudo levantarse de entre los muertos. Usó una ley superior que vencía la maldición de la ley por la cual todos los hombres deben morir.

La Muerte no tiene poder
sobre los que han sido redimidos de la Ley
y viven bajo la Gracia.

- **Dominio sobre las leyes físicas**

"[38]Y mandó parar el carro; y descendieron ambos al agua, Felipe y el eunuco, y le bautizó. [39]Cuando subieron del agua, el Espíritu del Señor arrebató a Felipe; y el eunuco no le vio más, y siguió gozoso su camino. [40]Pero Felipe se encontró en Azoto; y pasando, anunciaba el evangelio en todas las ciudades, hasta que llegó a Cesarea". Hechos 8.38-40

Felipe rompió las leyes físicas que operan sobre la gravedad, la materia, el tiempo y el espacio. El Espíritu Santo lo llevó de un lugar a otro, fue transpuesto en un abrir y cerrar de ojos. ¡Qué poderoso lo que sucedió! Los apóstoles podían hacer lo mismo que hacía Jesús. De hecho, Jesús usó varias veces este dominio después de resucitado. Hoy nosotros también podemos hacer esto si creemos en Él y en su reino.

Ilustración: Éste es el testimonio de un predicador del evangelio a quien el Señor envió a una misión a la India. Cuando iba a viajar, Dios le indicó dirigirse al aeropuerto y esperar en la línea de embarque. El misionero, siguiendo las instrucciones, llegó a la línea y esperó por largo rato, pero nada pasó. Al cabo de un tiempo, decidió ir al baño, y cuando salió, se encontraba en un aeropuerto de la India. Le ocurrió lo mismo que a Felipe: fue transportado por el Espíritu Santo. Las leyes físicas de la Tierra fueron reemplazadas por las leyes sobrenaturales del Reino. En la Escritura, estos fenómenos son llamados "poderes del siglo venidero".

"[5]...y asimismo gustaron de la buena palabra de Dios y los poderes del siglo venidero". Hebreos 6.5

- **Dominio sobre las enfermedades y los demonios**

"[23]Y recorrió Jesús toda Galilea, enseñando en las sinagogas de ellos, y predicando el evangelio del reino, y sanando toda enfermedad y toda dolencia en el pueblo. [24]Y se difundió su fama por toda Siria; y le trajeron todos los que tenían dolencias, los afligidos por diversas enfermedades y tormentos, los endemoniados, lunáticos y paralíticos; y los sanó". Mateo 4.23, 24

Ilustración: *John G. Lake* era un poderoso apóstol de la fe que fue enviado por Dios al África. En ese tiempo, le tocó orar por muchas personas que estaban muriendo de una enfermedad llamada 'peste bubónica'; ésta era tan letal que, si una persona infectada tocaba a otra, le transfería la enfermedad y podía hacerle caer muerta en cuestión de horas. *John G. Lake* cuenta que tomaba a la gente de las manos, oraba por ella, se sanaba y a él nada le sucedía. ¿Por qué? Las leyes del Reino son superiores a las de la Tierra y a las de cualquier otro reino.

- **Dominio sobre la ley de gravedad**

"[26]Y los discípulos, viéndole andar sobre el mar, se turbaron, diciendo: ¡Un fantasma! Y dieron voces de miedo". Mateo 14.26

¿Cuál es el mensaje que Dios nos está enviando?

Todo lo que hemos aprendido nos demuestra que nosotros podemos caminar exactamente con el mismo poder que resucitó a Jesús de los muertos; podemos tener dominio sobre la pobreza, la enfermedad, los demonios, la materia, el tiempo y todas aquellas cosas que están más allá de nuestro control. Podemos *ser* lo que Dios quiere que seamos, pues Él nos da el poder para lograrlo.

Los hijos de Dios tenemos el poder de la resurrección
para cambiar cualquier situación contraria
a la voluntad del Reino.

El elemento de lo sobrenatural es lo que hace al reino de Dios superior a todos los reinos de la Tierra. Por este poder, el reino de los Cielos es superior al reino de las tinieblas y a todos los sistemas de este mundo. En las Escrituras, hay un sinnúmero de ejemplos más en torno a la cualidad sobrenatural de Dios y de la superioridad de su reino sobre los reinos de los hombres, pues es inconmovible, eterno y está fuera de este mundo.

"[36]Respondió Jesús: Mi reino no es de este mundo; si mi reino fuera de este mundo, mis servidores pelearían para que yo no fuera entregado a los judíos; pero mi reino no es de aquí". Juan 18.36

Cuando un milagro sucede, es decir, cuando las leyes del reino superan las leyes naturales, llega el fin de todo argumento o filosofía humana. En lenguaje científico, se diría que la experiencia empírica confirma o refuta la teoría. En este caso, la experiencia empírica de un milagro refuta las teorías humanas y confirma la palabra de Dios. Los hechos siempre serán más fuertes que las palabras.

Un milagro palpable le pone fin
a cualquier discusión intelectual.

La diferencia entre el reino de Dios y las religiones, incluyendo la cristiana, es que el gobierno de Dios consiste, no solamente en palabras, sino también en poder. La religión no cambia a nadie, la religión no tiene vida ni poder para dar paz y gozo. La religión es una atadura incapaz de dar poder para vivir como es digno de un hijo de Dios. No hay ninguna iglesia, en el Nuevo Testamento, que no haya sido fundada en el poder de las señales, milagros, maravillas y expulsión de demonios. Sólo cuando el Reino es establecido, una iglesia puede prosperar y cambiar su entorno.

2. El reino de Dios funciona en la eternidad, no en el tiempo.

La eternidad es un estado de vida donde no existe el tiempo. Cuando Dios creó la Tierra, estableció el tiempo para que el hombre viviera en él, pues tenía un cuerpo físico que necesitaba sujetarse al tiempo. La eternidad se puede analizar desde tres vías: la eternidad pasada, la eternidad presente y la eternidad futura; pero en medio de ella, Dios instauró el tiempo para que el hombre viviera.

El Reino no está sujeto al tiempo, sino que funciona por encima de éste en la eternidad. Por lo tanto, para operar en sus leyes, tenemos que vivir de manera diferente. Aquel que vive según las leyes del Reino es libre de las leyes terrenales.

¿Cuál es la moneda de acceso al reino de Dios?

El tipo de cambio o moneda de acceso al reino sobrenatural de Dios es la fe. El sistema de Dios opera por medio de la fe; por consiguiente, para vivir en la Tierra de la misma manera que se vive en el Cielo, debemos caminar por y en fe. Al igual que la eternidad, la fe opera por encima del tiempo. Cuando nos conducimos según las leyes del Reino, entramos en la esfera de lo eterno, y allí no existen las horas, los días ni los años. Dios no tiene principio ni fin; Él no vive en base al tiempo porque éste es parte de su creación; tuvo principio y tendrá un fin. Esto quiere decir que una vez cumplido el propósito de su vigencia, no existirá más. El tiempo tiene fecha de expiración. ¡Viviremos en la eternidad!

"[6]...y juró por el que vive por los siglos de los siglos, que creó el cielo y las cosas que están en él, y la tierra y las cosas que están en ella, y el mar y las cosas que están en él, que el tiempo no sería más". Apocalipsis 10.6

Los hijos de Dios hemos recibido una medida de fe, por medio del nuevo nacimiento, tanto para operar en los dos mundos, el visible y el invisible, como para evitar que el tiempo sea una limitación.

¿Qué es fe?

Veamos brevemente qué no es fe. La fe no es esperanza, pues ésta tiene que ver con el futuro. La fe comienza con esperanza. La fe tampoco es conocimiento, pues éste es juzgar las cosas sólo por la percepción de los sentidos naturales (tacto, gusto, olfato, oído y vista).

La fe opera en la dimensión del espíritu, no en los cinco sentidos. El conocimiento no es fe; porque cuando usted llega al conocimiento es muy tarde para la fe. La fe tampoco es presunción, no es algo que asumimos que pueda ser.

¿Qué es fe?

"[6]Pero sin fe es imposible agradar a Dios; porque es necesario que el que se acerca a Dios crea que le hay, y que es galardonador de los que le buscan". Hebreos 11.6

- Dios es
- Dios es galardonador

La fe es: siempre presente. La fe toca la atmósfera de lo eterno. Dios es "Yo Soy El que Soy". Yo soy el que fue, soy y será.

Hay dos mundos:

- **El mundo espiritual.** Éste es discernido en el espíritu y es el ámbito en el cual opera la fe.

El mundo físico. Éste se maneja por los cinco sentidos.

Cuando uno se mueve en el ámbito espiritual no tiene una evidencia tangible, es un saber interno, no físico ni intelectual.

En el mundo natural que habitamos, hay cuatro dimensiones:

- Longitud
- Profundidad
- Tiempo
- Espacio

La gente define eternidad como "todo el tiempo, o largo tiempo". Pero la eternidad no es tiempo, la eternidad es un estado aunque para nosotros es imposible concebir o entender bien este concepto.

Cuando un objeto se desplaza a una velocidad aproximada a la velocidad de la luz (186.000 millas/segundo) el tiempo comienza a desaparecer. Cuando se alcanza la velocidad de la luz, en ese punto, el tiempo se queda estático y las cosas o las personas no envejecen. La eternidad es simplemente vivir al nivel de energía de la velocidad de la luz.

Ilustración: si un grupo de gente se va en un trasbordador a 150.000 millas/segundo a un planeta, cuando vuelve a la Tierra, aunque aquí hayan pasado veinte años, para esta gente habrá sido como nada. Cuando baje se verá igual que cuando se fue. Desde su perspectiva habrán sido un par de horas, mientras que de la nuestra, veinte años.

La única diferencia entre el tiempo
y la eternidad es el nivel de energía.

Entonces, tenemos que entender que hay un mundo o un ámbito eterno o espiritual que es un "eterno ahora", un eterno presente. Si usted ve el tiempo como una línea, ésta tiene un principio y un fin; pero la eternidad, será un círculo sin final. Cuando entramos a la eternidad las cosas "son" solamente.

Él hábitat natural de Dios es la eternidad. Cuando usted entra a la dimensión eterna donde opera la fe, cruza la línea del tiempo hacia la eternidad.

Hay sucesos de gran importancia que se llevaron a cabo en el ámbito eterno y en el temporal. Por ejemplo, el evento de la cruz sucedió en la eternidad antes de la fundación del mundo, cuando todavía el tiempo no existía. Jesús, antes de que Abraham fuera, dijo: "Yo Soy", hablando de su naturaleza eterna (eterno presente). Jesús también fue crucificado en un tiempo particular de la historia, hace dos mil años atrás. Por eso su sacrificio tiene validez en los dos ámbitos. Una vez que Jesús fue crucificado en la cruz y resucitó de los muertos, entró en el ámbito eterno y llenó toda la eternidad. Debido a esto, la sangre de Jesús nunca envejece, porque es algo eterno.

Desde la línea del tiempo, Abraham entró en la eternidad, dos mil años antes de que sucediera la crucifixión en el tiempo, para abrazar el poder de la cruz y ser salvo por la sangre de Jesús. Él tuvo comunión con Melquisedec, el sumo sacerdote del Nuevo Testamento (Jesús), al cual le daba los diezmos y las ofrendas y junto a quien celebraba la santa cena, con pan y vino. En esta ocasión no hubo sacrificio de animales. Abraham no tuvo que cumplir ninguna ley, él solamente vivió en la gracia del Nuevo Pacto dos mil años antes de que sucediera en el tiempo. Una vez en el ámbito espiritual, pudo gozar de los beneficios que Dios había otorgado en la eternidad.

"[1]Porque este Melquisedec, rey de Salem, sacerdote del Dios Altísimo, que salió a recibir a Abraham que volvía de la derrota de los reyes, y le bendijo, [2]a quien asimismo dio Abraham los diezmos de todo; cuyo nombre significa primeramente Rey de justicia, y también Rey de Salem, esto es, Rey de paz". Hebreos 7.1, 2

Mil años más tarde, David tuvo una revelación de la cruz e hizo lo mismo que Abraham (Salmos 22). Levantó un tabernáculo, donde entraba a la presencia de Dios sin ningún velo. De acuerdo a la Ley, al hacer esto hubiera caído muerto; pero David estaba viviendo en el Nuevo Testamento, bajo la gracia, donde los creyentes adoran a Dios sin velo y pueden ver su gloria. David es un creyente del Antiguo Testamento viviendo como uno del Nuevo, en completa intimidad con el Padre. Esto sucedió mil años antes de que el velo fuera roto por la muerte de Jesús. La ruptura del velo fue primero un evento eterno y luego, temporal.

Usted tiene que decidir si va a vivir en el tiempo o en la eternidad. Si comenzamos hoy a vivir en el ámbito eterno, recibiremos todos sus beneficios, aun viviendo en la Tierra. En la eternidad usted puede operar y moverse por medio de la fe, por la cual todo es posible.

"[18]...no mirando nosotros las cosas que se ven, sino las que no se ven; pues las cosas que se ven son temporales, pero las que no se ven son eternas". 2 Corintios 4.18

Necesitamos ser liberados de vivir en los cinco sentidos. La fe no tiene ninguna de estas limitaciones, no tiene que entender, sentir, tocar o ver, solamente necesita saber que "es". Usted recibe su milagro por la acción de la fe, y debe saber y confesar que ya "es".

¿Cuál es la trampa del reino de las tinieblas?

El enemigo nos hace creer que el tiempo es nuestro límite, nuestro único espacio. Por ejemplo, el sistema financiero ha diseñado un tiempo de treinta años para que usted pague su casa. Pero cuando termine de pagarla, le habrá costado tres veces más que su precio original. El tiempo establecido por la entidad financiera, rige su ritmo de pago y la rentabilidad que obtendrá por el plazo que le ha sido determinado a usted para pagar. Pero, ¿qué tal si se rebela contra ese sistema, se sale de esas leyes, y decide por fe, pagarla en diez años? Usted lo va a lograr porque vive en un reino superior, con leyes superiores a las humanas.

Ilustración: Una persona va al médico, le detectan un cáncer en su cuerpo y le pronostican tres meses de vida. Ése es el diagnóstico natural, pero hay un reino con leyes superiores, que están por encima de las leyes naturales de la medicina. Si esa misma persona entra en el Reino por medio de la fe, puede ser sanada en el mismo instante. En el reino de Dios, no existe la enfermedad, porque es ilegal, no tiene permiso de permanencia allí.

> El tiempo es una medida que somete al hombre
> de manera que no pueda entrar a la eternidad.
> Jesús venció los límites del tiempo
> y nos enseñó a echar mano de la vida eterna.

Tenemos que cambiar nuestra mentalidad. Ya no estamos sujetos a las leyes de este sistema satánico y humanista. Por lo tanto, no podemos permitir que el enemigo nos limite con el tiempo; debemos vivir como ciudadanos de un reino sobrenatural que tiene abundante provisión de paz, gozo, salud y bendición. Por medio de la fe, podemos entrar en la eternidad cuando queramos, porque la fe no tiene tiempo. Al igual que Abraham y David, podemos vivir hoy las bendiciones de diez, veinte, cien o miles de años adelante. No tenemos que esperar ni morir antes de cumplir los sueños.

¿Cómo podemos cruzar la línea de creyentes terrenales a creyentes del reino sobrenatural?

Los creyentes terrenales son aquellos que creen en Dios, pero viven atados a las leyes naturales y humanas que rigen este mundo; no tienen poder para cambiar sus circunstancias, y el enemigo hace lo que quiere con ellos. Su única esperanza es que, cuando mueran, se irán con Jesús; pero en la Tierra viven siempre derrotados, carentes de poder.

En la historia del pueblo de Dios, existe una línea que separa a aquellos que esperan la llegada del Mesías y su reino, de aquellos que han recibido a Jesús y su reino. Juan el Bautista fue el profeta que anunció a Jesús y la venida del Reino. Él preparó el camino: hablaba el lenguaje del Reino, enseñaba la doctrina correcta, pero no hacía que el gobierno de Dios viniera, pues no lo manifestaba. Tampoco hizo ninguna señal, sino que predicaba un reino de palabras, al cual le faltó el ingrediente del poder sobrenatural, que es el sello de autenticidad del reino de Dios.

"[41]Y muchos venían a él, y decían: Juan, a la verdad, ninguna señal hizo; pero todo lo que Juan dijo de éste, era verdad". Juan 10.41

Juan no vivía por fe, ni tampoco hizo las obras de la fe. En la actualidad, hay millones de creyentes en el mundo que hablan las palabras correctas, tienen la doctrina correcta, pero viven sin poder; no hacen que el Reino venga, no sanan a los enfermos ni echan fuera demonios. Juan el Bautista fue asesinado por Herodes porque no tenía el poder para vencer a los principados y potestades espirituales que operaban en aquel tiempo y lugar.

Los creyentes de Reino continúan el ministerio de Jesús en la Tierra, haciendo lo mismo y más de lo que Él hacía.

"[12]De cierto, de cierto os digo: El que en mí cree, las obras que yo hago, él las hará también; y aun mayores hará, porque yo voy al Padre". Juan 14.12

Este tipo de creyente ha cruzado la línea de las palabras bonitas y elocuentes, a una demostración viva de que Jesús ha resucitado y su reino es más poderoso que cualquier otro. ¿Está usted dispuesto a cruzar la línea de creyente terrenal a creyente de Reino?

Juan el Bautista fue eliminado por los poderes satánicos de ese tiempo, debido a que no andaba en el poder del Reino –lo mismo que sucedió con Elías, en el Antiguo Testamento–. Incluso, hubo un momento en que Juan dudó de quién era Jesús (después de declarar que era el Mesías y que él mismo no era digno de desatar la correa de su calzado). Ante tal duda, Jesús le contestó con el fruto del poder del evangelio del Reino.

"[1]Cuando Jesús terminó de dar instrucciones a sus doce discípulos, se fue de allí a enseñar y a predicar en las ciudades de ellos. [2]Y al oír Juan, en la cárcel, los hechos de Cristo, le envió dos de sus discípulos, [3]para preguntarle:

¿Eres tú aquel que había de venir, o esperaremos a otro? [4]Respondiendo Jesús, les dijo: Id, y haced saber a Juan las cosas que oís y veis. [5]Los ciegos ven, los cojos andan, los leprosos son limpiados, los sordos oyen, los muertos son resucitados, y a los pobres es anunciado el evangelio". Mateo 11.1-5

Jesús declaraba, en estos versos, la manifestación visible del reino de Dios, sobrenatural, poderoso y superior; un Reino que no consiste sólo en palabras, sino también en poder.

Jesús es el mismo ayer, hoy y por los siglos

"[8]Jesucristo es el mismo ayer, y hoy, y por los siglos". Hebreos 13.8

Jesús no cambia ni tiene que cambiar; nosotros debemos cambiar. Tenemos el poder y la autoridad para hacer las mismas obras que Él hizo; debemos comenzar a creer y actuar como Jesús, pues el Espíritu Santo ya nos ha dado el poder para obrar lo mismo que Él obró.

Jesús resucitó y está vivo

"[3]...a quienes también, después de haber padecido, se presentó vivo con muchas pruebas indubitables, apareciéndoseles durante cuarenta días y hablándoles acerca del reino de Dios". Hechos 1.3

Muchas personas no van a creer solamente por nuestra palabra; debemos demostrarles las obras del Reino: sanidades, milagros, señales, maravillas, prodigios y expulsión de demonios. ¿Por qué dar sólo una parte? ¿Por qué vivir sólo una parte del Reino, si es tan rico, tan extenso, infinito y, sobre todo, poderoso para cambiar lo que ningún recurso o ley natural puede alterar? Esto es el reino sobrenatural de Dios, que puede manifestarse sobre aquellos que quieren cruzar la línea de las palabras a la acción, de la buena enseñanza a las obras poderosas.

La fe del incrédulo
no se despierta por las palabras bonitas,
sino por los hechos sobrenaturales.

Capítulo 8

Los misterios del reino

Cuando leemos las Escrituras, descubrimos que contienen muchos misterios. Por ejemplo, el misterio de Cristo, el misterio de la deidad, el misterio del anticristo, los misterios del Reino. La Creación completa está llena de misterios incomprensibles para la mente humana, los cuales sólo pueden ser entendidos por revelación del Espíritu Santo.

El deseo o anhelo de Dios es revelar los misterios del Reino al ser humano, sin esconderle nada; Él quiere que el hombre los entienda para que los obedezca y pueda ser un verdadero discípulo del Reino. Dios solamente esconde sus misterios de aquellos que buscan conocimiento, pero no relación; éstos son los que oyen, pero no quieren tomar la decisión de obedecer la Palabra. Son muchos los que quieren saber los misterios de Dios, sólo para llenar su mente de conocimiento, pero no con el fin de obedecerlos. Dios no funciona así; los misterios son para los hijos.

¿Qué es un misterio?

Si vamos a los originales del Nuevo Testamento, escritos en griego, encontraremos la palabra *"mustérion"*, cuyo significado es iniciar en los misterios. Esta palabra también denota, a diferencia del castellano o el inglés, aquello que está más allá de la posibilidad de ser conocido por medios naturales. Es algo que se recibe únicamente por revelación divina del Espíritu Santo, de una forma y en un tiempo señalados por Dios, y a quienes tienen sed de conocerlo y han tomado la decisión de obedecerlo.

En términos generales, un misterio es un "conocimiento retenido", no porque Dios desee retenerlo ni porque esté vedado para todos, sino porque quiere esconderlo de quienes no desean obedecer lo aprendido. Un misterio divino no es retenido de los que oyen con el fin de obedecer, ya que es una verdad revelada, declarada, dada a conocer, para ser practicada. Es decir, es un conocimiento ya revelado, pero retenido de quienes están fuera del Reino.

¿Qué es la revelación divina?

Este término viene del verbo *"apokalúpto"*, que significa desvelar, quitar la cubierta, revelar, manifestar, venidero, descubrir verdades que están escondidas al ojo, al oído natural, y que son reveladas por el Espíritu Santo a nuestro espíritu.

Estas verdades divinas están en la Escritura, y han sido reveladas, declaradas, manifestadas, descubiertas a nosotros, los que anhelamos conocerlas y obedecerlas. En el mundo espiritual, ya están reveladas, decodificadas, no son un secreto. La condición para entender estas verdades es no depender de nuestra mente *humana*, pues solamente tenemos acceso a estos misterios por medio del Espíritu Santo.

Como lo establecimos en el párrafo anterior, Dios ya reveló estos misterios por medio del Espíritu Santo.

"[9]Antes bien, como está escrito: cosas que ojo no vio, ni oído oyó, ni han subido en corazón de hombre, son las que Dios ha preparado para los que le aman. [10]Pero Dios nos las reveló a nosotros por el Espíritu; porque el Espíritu todo lo escudriña, aun lo profundo de Dios". 1 Corintios 2.9, 10

Estos misterios están incluidos en la palabra de Dios, pero nadie tiene acceso a ellos por medios humanos o naturales. Las tradiciones, los viejos paradigmas mentales y la dureza de nuestro corazón, ciegan o nublan nuestro entendimiento.

Para tener acceso libre a los misterios contenidos en la Biblia, necesitamos una mente abierta, totalmente libre de prejuicios, fortalezas mentales y religiosidad.

Los misterios divinos ya han sido revelados por el Espíritu Santo, ya fueron decodificados; por consiguiente, no hay obstáculos para aquel que anhela conocerlos y obedecer a Dios.

En este punto, es importante poner de manifiesto que la Escritura habla de misterios, secretos revelados, pero también habla de *cosas secretas*. Éstas, por un acto soberano de Dios, todavía *no* han sido reveladas.

¿Qué son las *cosas secretas*?

Las *cosas secretas* son asuntos ocultos y clasificados a los que nadie tiene acceso, solamente Dios.

"[29]Las cosas secretas pertenecen a Jehová nuestro Dios; mas las reveladas son para nosotros y para nuestros hijos para siempre, para que cumplamos todas las palabras de esta ley". Deuteronomio 29.29

La diferencia entre misterios y *cosas secretas* es que los misterios son verdades ocultas desclasificadas, que en otro tiempo, fueron *cosas secretas* y que ahora Dios las ha revelado por el Espíritu Santo. Las *cosas secretas*, en cambio, todavía no han sido reveladas y nadie tiene acceso a ellas. Jesús dijo que su iglesia iba a ser edificada con revelación de quién es Él, lo cual significa que los misterios de Dios nos han sido revelados para edificar su iglesia. Por tal razón, puso a los apóstoles y profetas como administradores de esos misterios. Pero las *cosas secretas* pertenecen a la omnisciencia de Dios.

"[1]Así, pues, ténganos los hombres por servidores de Cristo, y administradores de los misterios de Dios". 1 Corintios 4.1

La palabra **administrador** es el vocablo griego *"oikonómos"*, distribuidor de la casa, supervisor, tesorero, predicador del evangelio, mayordomo. Éste es el rol o función del apóstol. El ministerio del apóstol es un don gubernamental en la Iglesia, el cual tiene autoridad dada por Dios para distribuir, supervisar y predicar estos misterios divinos, de manera que edifique al cuerpo de Cristo.

Cuando en la Iglesia no se reconoce el ministerio del apóstol como administrador de los misterios de Dios, el pueblo puede caer en doctrinas falsas, las cuales conducen a herejías y a la apostasía. Los apóstoles son quienes tienen la autoridad para decir si la revelación o doctrina es de Dios o no. Ellos son los mayordomos, administradores, supervisores y tesoreros de los misterios de Dios (de la gracia de Dios, de la gente, de los bienes naturales); ellos se encargan de distribuirlos a la Iglesia y de establecer doctrinas apostólicas para que sea edificada mediante la revelación divina.

Es de hacer notar que, de ninguna forma, estos misterios deben salirse de los parámetros de la palabra escrita; si esto ocurre, tarde o temprano se convertirán en herejía, doctrina extraña. Los apóstoles del Reino deben predicar estos misterios con sabiduría y amor, a fin de edificar la Iglesia y establecerla en la verdad presente.

"[5]...misterio que en otras generaciones no se dio a conocer a los hijos de los hombres, como ahora es revelado a sus santos apóstoles y profetas por el Espíritu". Efesios 3.5

Es importante entender que aunque los apóstoles son administradores de estos misterios, cada individuo puede acceder a ellos, si en su corazón anhela conocerlos y obedecerlos.

¿Cómo enseñó Jesús los misterios del Reino? Jesús enseñó los misterios del Reino por medio de parábolas.

¿Qué es una parábola?

Parábola es el vocablo hebreo *"mashál"*, que significa proverbio, anécdota, refrán, alegoría, ilustración; define lo desconocido, usando lo conocido, y lleva al oyente a querer descubrir su mensaje. Las parábolas son ilustraciones que revelan la verdad de Dios en palabras figuradas, diseñadas para tocar el corazón a través de la imaginación; son ilustraciones simples, que desafían la mente por medio de relatos cotidianos con los que la gente se puede relacionar.

¿Cuál fue el propósito de las parábolas de Jesús?

El propósito de estas parábolas fue enseñar, instruir e ilustrar el mensaje del Reino. Por ejemplo, Jesús usó la parábola del sembrador como fundamento para poder entender el resto de las parábolas que enseñó.

"[13]Y les dijo: ¿No sabéis esta parábola? ¿Cómo, pues, entenderéis todas las parábolas?". Marcos 4.13

Es de suma importancia que entendamos el porqué de las parábolas, de modo que tracemos la Escritura correctamente.

Las parábolas de Jesús entran a nuestro corazón
con la intención de cambiar nuestras vidas para bien.

"[19]De manera que cualquiera que quebrante uno de estos mandamientos muy pequeños, y así enseñe a los hombres, muy pequeño será llamado en el reino de los cielos; mas cualquiera que los haga y los enseñe, éste será llamado grande en el reino de los cielos". Mateo 5.19

El misterio encerrado en este pasaje en particular, es que todo aquel que interprete la Palabra correctamente, será llamado grande en el Reino; y si la interpretación es dada por el Espíritu Santo, tendrá el poder de cambiar para bien a los seres humanos. Por el contrario, si no se interpreta correctamente la revelación, no tendrá suficiente poder para transformar las vidas. Por eso es importante recibir y ejercer el ministerio del apóstol.

Si interpretamos parcialmente la Escritura, el poder sobrenatural del Reino se manifestará de forma parcial. Si la interpretamos de manera errada, el poder del Reino *no* se manifestará. Si la interpretamos bien, entonces presenciaremos la manifestación plena del poder sobrenatural de las operaciones del reino de Dios en todo lo que emprendamos para Él.

¿Cuáles son los propósitos de las parábolas?

- Ilustrar la enseñanza del reino de Dios para que la gente la entienda mejor y la recuerde.
- Desafiar al oyente a tomar la decisión de ser un discípulo en el reino de Dios.
- Esconder ciertas virtudes divinas de aquellos que no desean obedecerlas, sólo conocerlas.

La voluntad del Señor era enseñar los misterios del Reino e ilustrarlos con parábolas, para que todo el mundo los entendiera, y tomara la decisión de ser discípulo del Reino. Jesús quería que toda la gente entendiera el mensaje del Reino y su justicia. Refiriéndose a los discípulos del Reino, Él dijo lo siguiente:

"[11]...Porque a VOSOTROS OS ES DADO saber los misterios del reino de los cielos; mas a ellos no les es dado". Mateo 13.11

Jesús escondió estos misterios en parábolas para protegerlos de aquellos que no los querían saber. Hay gente que no quiere conocer estas verdades o misterios revelados del reino de Dios ni está dispuesta a obedecerlos, aunque tengan el poder para cambiar su destino. Por eso Jesús los escondió en estas bellas historias ilustrativas, llamadas parábolas.

"[11]...Porque a vosotros os es dado saber los misterios del reino de los cielos; MAS A ELLOS NO LES ES DADO". Mateo 13.11

"[11]...A vosotros os es dado saber el misterio del reino de Dios; MAS A LOS QUE ESTÁN FUERA, por parábolas todas las cosas...". Marcos 4.11

"[10]...A vosotros os es dado conocer los misterios del reino de Dios; PERO A LOS OTROS POR PARÁBOLAS, para que viendo no vean, y oyendo no entiendan". Lucas 8.10

Cuando dice "ellos", se refiere a los que están afuera, a todos los que rechazaron esos misterios, que eran los religiosos de ese tiempo.

Cuando dice "a vosotros", se refiere a sus discípulos, los que deseaban conocer y entender los misterios del reino de Dios.

La gente no se sentía amenazada cuando Jesús le contaba una historia. Él vino con la misión de comunicar la verdad del Reino; por lo tanto, para proteger su integridad y su justicia, y a la vez decir la verdad sin imponerla (respetando el libre albedrío del hombre), tomó la verdad y la escondió en parábolas. De manera que, el que quiere oír y obedecer, entiende, mas el que no, sólo escucha una historia.

"[14]De manera que se cumple en ellos la profecía de Isaías, que dijo: De oído oiréis, y no entenderéis; y viendo veréis, y no percibiréis". Mateo 13.14

La parábola fue dada para ser revelada cuando es anhelada y pedida de corazón. Es como una semilla que queda sembrada en el corazón del hombre. Llegado el momento, si la persona desea conocer la verdad, la parábola se la expondrá. De repente, esa historia que escuchó se hará real en su vida, la verdad saldrá a la superficie y podrá entenderla...

Ésta es la razón por la cual la Biblia usa la expresión *"volvió en sí"*, la cual significa que el entendimiento de la persona fue iluminado y pudo entender y ver lo que estaba frente a sus propios ojos. Muchas veces, queremos ayudar o guiar a los demás sin tener la verdad revelada en nuestra vida; es decir, sin darnos cuenta de que es primero uno mismo quien necesita ayuda. Recuerde: "Un ciego no puede guiar a otro ciego". El hijo pródigo *"volvió en sí"*, recuperó la cordura, entendió la verdad, se dio cuenta de lo ridículo de su situación y de lo irresponsable e inmaduro que había sido; reconoció que necesitaba ayuda y, entonces, Dios le reveló el conocimiento retenido.

Los cristianos tenemos
mucho conocimiento retenido en nuestro interior,
esperando nuestra voluntad de obedecerlo
para, entonces, ser revelado.

Jesús hablaba a sus discípulos claramente, pero a los demás les hablaba en parábolas para esconder sus misterios. Hoy muchas personas oyen la palabra pero no quieren entenderla ni obedecerla; por eso su corazón se endurece cada vez más. Hay gente que ha estudiado teología toda su vida y, sin embargo, permanece totalmente ignorante de Dios. Esto no es debido a una falta de intelecto ni de estudio, sino a que Dios les oculta esos misterios por la actitud arrogante y orgullosa de su corazón.

De todo lo explicado hasta aquí, podemos concluir que la mayor parte de la gente tiene información acerca de Dios y de la Biblia, pero no ha recibido revelación de los misterios del Reino. Por eso sus vidas siguen igual, tristes, amargadas y vacías; no tienen un sentido de propósito o significado, porque lo único que han recibido es información de Dios. No tienen una relación íntima con Él, porque no han querido recibir sus misterios.

Jesús llamó "perlas" a los misterios

"[6]No deis lo santo a los perros, ni echéis vuestras perlas delante de los cerdos, no sea que las pisoteen, y se vuelvan y os despedacen". Mateo 7.6

Precisamente, hablando en parábola, Jesús llamó "perlas" a la revelación de los misterios del Reino. Él define aquí dos cosas: no dar lo santo al apetito de los perros ni la revelación a los deseos de los cerdos.

"No deis lo santo a los perros…".

Metafóricamente, los perros son personas impías con mentes impuras, que se ejercitan en lo inmoral. Ellas no quieren recibir las cosas santas de Dios porque su deseo y apetito están en el sexo ilícito, la fama, la religión, la posición, el amor al dinero o a las riquezas y otros. No desean conocer los misterios del Reino. Jesús dice: "no tires lo santo a ese tipo de individuos". Los perros son, asimismo, la gente que está detrás de usted para destruirle si no está de acuerdo con su doctrina o su manera de pensar. Éstos son los fariseos: cristianos religiosos, hipócritas, que tratan de ganar su salvación por medio de obras.

"...ni echéis vuestras perlas delante de los cerdos...".

Los cerdos son aquellos hombres y mujeres que no valoran los misterios divinos. Se comparan con cerdos porque, al igual que éstos, gustan del lodo, del pecado y la inmundicia; y aunque le presenten un estanque de agua limpia y pura, y traten de mantenerlos limpios y fragantes, siempre preferirán el lodo. Estas personas no entienden el valor de los misterios, la palabra y la revelación de Dios.

En nuestra sociedad hay hombres así, como *cerdos*, que no valoran a sus esposas, su familia, su negocio ni su relación con Dios, y cambian todo lo bueno y puro por un momento de placer. Finalmente, terminan en el lodo, destruyendo su familia, su vida y todos sus bienes. Jesús nos recomienda no dar las perlas de la revelación de sus misterios a individuos que no las quieren recibir; porque al estar fuera del alcance de su entendimiento, las pisotearán.

La parábola del sembrador

En esta ocasión, Jesús usa una parábola, pero la explica a medida que avanza en su relato. Esto es con el fin de enseñarnos el misterio de cómo recibir y entender la revelación. En la parábola del sembrador, nos ilustra los cuatro tipos de oidores de la Palabra o los cuatro terrenos en que la semilla del evangelio puede caer.

La semilla es la palabra de Dios, y el sembrador es Jesús o un predicador del evangelio. Los cuatro tipos de tierra son los diferentes corazones humanos donde llega la Palabra: pedregales, espinos, junto al camino y buena tierra. Esto, a su vez, nos dará los cuatro tipos de discípulos del Reino que podemos encontrar.

En el campo, la condición de la tierra determina el brote y crecimiento de la semilla; por lo tanto, también determina el éxito o el fracaso de la cosecha. Es importante recalcar que la productividad de la semilla tiene que ver muy poco con quién la siembra, y mucho con el tipo de terreno donde es sembrada.

En el tiempo de Jesús, el centro de la vida judía era aprender la palabra de Jehová para llegar a ser maestros y hacer discípulos. Todos los maestros tenían discípulos, pues así funcionaba su sistema de enseñanza. Jesús llama a los hombres a ser sus discípulos, pero espera que ellos tomen la decisión de serlo. Ser discípulo es un llamado, no una obligación.

¿Cuáles son los cuatro tipos de oidores y discípulos del Reino?

1. **Los que no entienden y rechazan la Palabra.**

    "[19]Cuando alguno oye la palabra del reino y no la entiende, viene el malo, y arrebata lo que fue sembrado en su corazón. Éste es el que fue sembrado junto al camino". Mateo 13.19

    Éstos son aquellos que oyen la palabra, pero como no la entienden, la rechazan. En este caso, es fácil para el maligno robar inmediatamente la revelación, debido a las filosofías, creencias y tradiciones, que no permiten a la persona recibir la palabra de Dios. Otros no la reciben por los dolores, rechazo y sufrimiento que han pasado en la vida; no pueden ver que la verdad del Reino los puede libertar. Entonces Satanás roba la semilla.

2. **Los que reciben la Palabra con entusiasmo en el momento, pero luego, tropiezan.**

    "[20]Y el que fue sembrado en pedregales, éste es el que oye la palabra, y al momento la recibe con gozo; [21]pero no tiene raíz en sí, sino que es de corta duración, pues al venir la aflicción o la persecución por causa de la palabra, luego tropieza". Mateo 13.20, 21

    Algunas personas no se dan cuenta de las implicaciones de entrar en el Reino, y cuando viene el ataque o las complicaciones, se apartan porque no quieren problemas; por eso fracasan, tropiezan y la Palabra no prospera en sus corazones.

Aquellos que quieren vivir un evangelio fácil y beneficioso, tarde o temprano, tropezarán con la piedra del compromiso.

3. Los que dejan que la semilla se ahogue.

"[22]El que fue sembrado entre espinos, éste es el que oye la palabra, pero el afán de este siglo y el engaño de las riquezas ahogan la palabra, y se hace infructuosa". Mateo 13.22

En éste y otros pasajes de la Biblia, Jesús nos enseña que hay tres cosas que ahogan la semilla o la palabra del Reino: los afanes de este siglo, el engaño de las riquezas y la codicia. Conozco muchas personas que recibieron a Jesús como su Salvador, le entregaron su corazón, lo hicieron su Señor y comenzaron una relación íntima con Él; estaban enamorados y le servían con mucha pasión. Pero después de un tiempo, comenzaron a envolverse más en los negocios, los deportes, el trabajo y otros asuntos, y pusieron a Dios en segundo lugar. Eventualmente, terminaron apartándose de la iglesia, dejaron de leer la Biblia, de orar, y por último, la Palabra se ahogó. Hoy día están apartados de Dios porque su semilla no dio fruto.

4. Los que oyen y reciben la Palabra.

"[23]Mas el que fue sembrado en buena tierra, éste es el que oye y entiende la palabra, y da fruto; y produce a ciento, a sesenta, y a treinta por uno". Mateo 13.23

Éstos son los que reciben la Palabra, la creen, la practican y dan fruto. Pero aquí también hay diferentes niveles. La semilla germinó, creció y dio fruto, pero en algunas personas da más y en otras, menos. Así también, hay discípulos que creen la palabra, crecen, maduran y dan fruto, pero en tres diferentes niveles. Veamos ahora, cuáles son los requisitos para dar fruto:

- **Oír** la Palabra con los oídos espirituales, no solamente con los naturales.

- **Entender** la Palabra en el espíritu, pues cuando no sucede así, el enemigo la roba fácilmente.

- **Recibir** la Palabra. Una vez que una persona oye y entiende la Palabra, y recibe a Jesús como Salvador, su semilla comienza a germinar. Jesús es la Palabra.

- **Obedecer** la Palabra. Esto es decidir ser un discípulo del Reino, sin importar cuánto cueste en dinero, rechazo, crítica, dolor y segregación.

- **Perseverar** en la Palabra. En este nivel, es donde se lleva fruto al ciento por uno. Una vez que oímos la palabra de Dios y sus misterios nos son revelados, tomamos la decisión de ser discípulos del reino de Dios y de Jesús; luego, perseveramos en obedecer esas verdades, y entonces, llevamos fruto al ciento por uno.

¿Cuáles son las condiciones que Dios requiere de nosotros para recibir los misterios del Reino?

❖ Estar hambrientos y sedientos de esos misterios.
❖ Ser humildes y enseñables.
❖ Obedecer las verdades y revelaciones del Espíritu.

> *"[25]En aquel tiempo, respondiendo Jesús, dijo: Te alabo, Padre, Señor del cielo y de la tierra, porque escondiste estas cosas de los sabios y de los entendidos, y las revelaste a los niños".*
> *Mateo 11.25*

Una forma de demostrar que valoramos la Palabra revelada, es determinándonos a obedecerla sin importar el precio que esto implique. Por ejemplo, es imposible que si alguien tiene problemas maritales, no contemple la posibilidad del divorcio; pero si es un discípulo del reino de Dios, luchará hasta el final. Si valora la

Palabra, ni siquiera considerará en su mente, la idea de desobedecer a Dios.

Los que no valoran lo que oyen y reciben,
aun lo poco que les fue dado, les será quitado.

"[25]Porque al que tiene, se le dará; y al que no tiene, aun lo que tiene se le quitará". Marcos 4.25

Dependiendo del grado en que lleguemos a valorar la Palabra, será el nivel de revelación que recibamos. Es decir, cuanto más valoremos lo que recibimos, más recibiremos, y cuanto menos lo valoremos, aun lo que hayamos recibido nos será quitado.

Ilustración: Hay hombres que caminaban con Dios, en relación íntima con Él y hasta oían su voz; pero un día, desobedecieron un mandato, ocultando ciertas verdades y misterios que el Señor les había revelado para edificación de su pueblo. Otros, comenzaron a tomar livianamente la revelación que el Espíritu Santo les daba a ellos mismos y a otros hombres de Dios. A raíz de esto, cayeron en mentira y doctrinas de error; un espíritu de engaño los tomó, y lo que tenían les fue quitado.

Hay hombres que piensan que porque Dios los ha llevado a grandes niveles de gloria y han alcanzado el éxito, están exentos de obedecer cien por ciento al Espíritu Santo y la Palabra revelada. Pero esto no es así. Nadie está exento de obedecer; no importa si es apóstol, profeta, médico, abogado, campesino, ama de casa, presidente de una nación, senador, congresista, joven, mujer u hombre, todos *debemos* obedecer la palabra de Dios. Todos debemos estar sujetos al gobierno divino en total obediencia. Jesús mandó que su iglesia fuera edificada en la revelación de su palabra, en los misterios del Reino, no en la información adquirida por el hombre o nacida de inspiración humana.

La conclusión de todo esto, es que Dios quiere y desea revelar sus misterios a todo su pueblo, pero los esconde de aquellos que no los quieren obedecer. Estos individuos pueden ver, pero no ven; oyen, pero no entienden. Nadie puede ver y entender, a menos que decida valorar y obedecer lo que le ha sido revelado para llegar a ser un discípulo del Reino. Aquel que no valore lo que oye del reino de Dios, aun lo que tiene le será quitado.

Jesús recibió la revelación completa
de los misterios divinos, porque su mayor pasión
era obedecer y agradar al Padre.

Capítulo 9

El evangelio del reino

El hijo de Dios fue enviado con un propósito claro y específico: redimir al hombre y restablecer el reino de Dios en la Tierra, para que todo aquel que creyera en Él, naciera de nuevo del Espíritu y entrara al Reino. Por eso Jesús comenzó su ministerio en la Tierra, predicando el evangelio del Reino. Sus palabras proclamaban su misión principal "anunciar el Reino y proclamar sus buenas nuevas".

"[14]Después que Juan fue encarcelado, Jesús vino a Galilea predicando el evangelio del reino de Dios, [15]diciendo: El tiempo se ha cumplido, y el reino de Dios se ha acercado; arrepentíos, y creed en el evangelio".
Marcos 1.14, 15

❖ El tiempo se ha cumplido

Hoy es el tiempo correcto para traer el reino de Dios a la Tierra; es el tiempo que Él prometió hace miles de años; es el momento para que el reino de Dios, con su justicia, gozo y paz, sea establecido entre nosotros. Cuando Jesús habla del tiempo, se refiere a la urgencia de predicar su mensaje.

Es tiempo de traer al hombre a morar otra vez,
bajo la cobertura del gobierno de Dios.
Éste es el corazón, el punto principal del evangelio.

❖ El reino de Dios se ha acercado

Jesús comienza a anunciar que ningún hombre, desde Adán hasta Juan el Bautista, había hablado de este reino. Pero con Él, el gobierno de Dios se había acercado para habitar entre los hombres, y su misión era anunciarlo y establecerlo.

¿Cómo se entiende y recibe el Reino?

Arrepentíos

Notemos un detalle significativo en lo que Jesús enseña. Él no invita a la gente a recibir perdón de pecados, sino a arrepentirse. La razón de esto es que, para entrar en el Reino, primero debe venir el arrepentimiento. Nacer de nuevo no es solamente tomar la decisión de creer en Jesús o querer que nuestros pecados sean perdonados. No es lo que Jesús enseña. El perdón de pecados viene como consecuencia de un verdadero arrepentimiento.

¿Qué es el verdadero arrepentimiento?

Arrepentimiento es tener un cambio total de mentalidad y un cambio total de forma de vida. El arrepentimiento es advertir lo malo de tener el control de nuestra vida (tomando nuestras propias decisiones) y desear el cambio. ¿Suena paradójico verdad? Sobre todo, teniendo en cuenta que la idiosincrasia de nuestra sociedad enseña todo lo contrario: que la libertad está en poder controlar nuestra vida, según el criterio y entendimiento de cada uno. Pero finalmente, vemos que el control del hombre sobre su vida y actos no es efectivo, pues de serlo, no habría tantas leyes para regir el comportamiento del ser humano, ni habría tantas transgresiones a las mismas.

Mucha gente quiere mejorar su vida, pero no está dispuesta a entregar el control de ella a Dios. Otra vez, no se trata de darle el control de nuestra vida a cualquiera, sino al único que tiene la soberanía y la omnisciencia para saber realmente qué es lo mejor para nosotros, según el propósito con que Él mismo nos creó. Entonces, Jesús dice: "¡Arrepiéntanse! Cambien su manera de pensar, dejen de gobernarse autónomamente y entréguenme su vida. Ya no actúen separados de mí; vuelvan a depender de mí y sus vidas cambiarán totalmente". La razón de que Jesús nos pida esto es, precisamente, darnos una mejor vida.

Creed en el evangelio

La palabra **evangelio** es el vocablo griego *"euangélion"*, que viene de *"euangelízo"*, y significa traer, anunciar buenas nuevas, buenas noticias de parte de Dios.

De acuerdo a la Escritura, debemos arrepentirnos y creer las buenas nuevas del Reino, para entrar al gobierno de Dios. El perdón de pecados es subsiguiente al arrepentimiento, pero primero debe ser entrar al Reino.

La vida de una persona cambiará completamente cuando esté dispuesta a darle el control total a Dios… y lo haga. Nadie puede ser mejor persona en sus propias fuerzas. Eso trata de hacer la gente religiosa; intenta cambiar a través de métodos, normas, tradiciones y leyes, pero debido a lo mismo, continúa igual o peor. Para poder entregar el control total de nuestra vida al gobierno de Dios, debemos creer que el evangelio es bueno. Es muy fácil decir que el Reino ha venido a nosotros, pero ¿realmente ha venido? ¿Quién gobierna su vida, usted o Dios?

Mi testimonio: Hace veinte años, le entregué mi vida al Señor. Desde entonces, me ha costado mucho llegar adonde estoy. En algunos momentos, quise "tirar la toalla", pues no estaba seguro de poder lograrlo. Estaba tratando de hacerlo en mis fuerzas. Cuando tomé la decisión de darle el control total de mi vida a Dios, me di cuenta de que esto era bueno para mí. Hoy me siento bien, disfruto mi vida. Ésa fue la mejor decisión que hubiera podido tomar: creer las buenas nuevas del Reino y depender totalmente de Dios.

¿Cuáles son las buenas nuevas del Reino?

En general, hay muchas noticias que se pueden llamar "buenas"; por ejemplo, la noticia de que le van a regalar una casa, o lo van a promocionar en el trabajo. Muchas religiones enseñan que si usted cree en su doctrina e ideales, esto traerá paz a su alma y a su vida.

Pero las buenas noticias del reino de Dios son otras y nada tienen que ver con una religión.

"[14]Y será predicado este evangelio del reino en todo el mundo, para testimonio a todas las naciones; y entonces vendrá el fin". Mateo 24.14

El evangelio del Reino tiene dos buenas noticias:

1. La restauración del hombre al gobierno de Dios. Esto sucede por medio del arrepentimiento, la obediencia y la satisfacción de la justicia divina por medio de la fe.

2. El mensaje de la Cruz: Anunciar a Jesús, quien fue crucificado y resucitó vencedor, con poder y autoridad.

La restauración del hombre al señorío de Dios
y el mensaje de la cruz son las dos noticias
que están transformando nuestra sociedad.

Estas dos noticias son las que marcan la diferencia entre el evangelio del Reino y cualquier otro, pues revolucionaron la sociedad del tiempo de Jesús. Luego, siguieron con los apóstoles, y ahora continúan con los creyentes. Este evangelio sigue causando revolución en nuestra sociedad, cuando es predicado, proclamado, anunciado y enseñado con sus dos ingredientes. Es muy importante señalar que las buenas nuevas del Reino deben ser anunciadas en su totalidad; es decir, ambas noticias deben ser proclamadas. Si no se anuncia así, será un evangelio liviano, sin poder. Hoy en día, hay miles de ministros, hombres y mujeres de Dios, predicando buenas noticias o algún tipo de evangelio, pero no el evangelio del Reino. Esto no cambia vidas. Sólo las buenas nuevas que trajo Jesús tienen el poder transformador para alterar el curso de perdición de nuestras vidas y llevarnos a la salvación.

Como dije en capítulos pasados, el evangelio del Reino es lo que más teme el diablo. Por eso donde se predica este evangelio, el mismo Satanás se presenta a robarlo de las mentes.

"[18]Oíd, pues, vosotros la parábola del sembrador: [19]Cuando alguno oye la palabra del reino y no la entiende, viene el malo, y arrebata lo que fue sembrado en su corazón...". Mateo 13.18, 19

Hay miles de creyentes financiando ministros y ministerios para que anuncien las buenas nuevas. Pero lo triste es que están financiando un evangelio distinto del que Jesús predicó. Ellos lo hacen porque su deseo es agradar a los hombres, no a Dios; o bien, porque siendo de corazón sincero pero mente simple, creen estar extendiendo el Reino. Veamos qué dice el apóstol Pablo de esto:

"[9]Como antes hemos dicho, también ahora lo repito: Si alguno os predica diferente evangelio del que habéis recibido, sea anatema. [10]Pues, ¿busco ahora el favor de los hombres, o el de Dios? ¿O trato de agradar a los hombres? Pues si todavía agradara a los hombres, no sería siervo de Cristo". Gálatas 1.9, 10

¿Por qué hay hombres y mujeres que no predican el evangelio del Reino?

Dejar todo para predicar y sembrar la semilla del evangelio del Reino, trae grandes recompensas; pero, también, mucha persecución. En general, las personas no están dispuestas a ser perseguidas por causa del evangelio; por eso eligen un mensaje menos controversial y más acorde con la sociedad a la que quieren agradar. Pero si su punto de vista va de acuerdo con el reino de Dios, modificará su punto de vista con respecto a la vida, lo cual le llevará a luchar para no comprometer los principios del Reino, y su conducta será un reflejo de la vida de Cristo.

Si nosotros predicamos el evangelio del reino de Dios, entonces tendremos el punto de vista o mentalidad del Reino. No es lo mismo cualquier evangelio que el evangelio del Reino, una iglesia que una iglesia del Reino, una familia que una familia del Reino, una empresa que una empresa del Reino o una ciudad que una ciudad del Reino. Debemos entender que predicar el verdadero evangelio es algo diferente a todo lo que se vive afuera. Nuestra familia, negocio e iglesia deben ser diferentes si estamos predicando y viviendo el evangelio puro del Reino. Jesús llevó su vida de manera diferente; los apóstoles vivieron de manera radical, distinta. Predicar el evangelio del Reino trae grandes recompensas y bendiciones en esta vida y en la eterna.

Las dos cosas que hacen que el evangelio del Reino sea diferente, son: La restauración del hombre al gobierno de Dios y el mensaje de la Cruz.

1. La restauración del hombre al gobierno de Dios

Para introducir las buenas nuevas del Reino, tenemos que entender un problema, del cual hemos venido hablando. El principal problema del mundo y de la sociedad de hoy es un asunto de gobierno. Si tuviera el gobierno correcto, el mundo viviría en paz y justicia.

En el principio, Dios creó al hombre dentro de su gobierno; es decir, el hombre no vivía independiente de Él, Dios era su fuente de vida. El hombre permitía que la vida de Dios fluyera a través de él, y estaba sometido totalmente a su autoridad. Cuando el hombre sale de ese gobierno, crea el problema más grande que la humanidad pueda sufrir, y que persiste hasta hoy.

"[1]Y él os dio vida a vosotros, cuando estabais muertos en vuestros delitos y pecados, [2]en los cuales anduvisteis en otro tiempo, siguiendo la corriente de este mundo, conforme al príncipe de la potestad del aire, el espíritu que ahora opera en los hijos de desobediencia, [3]entre los cuales también todos nosotros vivimos en otro tiempo en los deseos de nuestra carne, haciendo la voluntad de la carne y de los pensamientos, y éramos por naturaleza hijos de ira, lo mismo que los demás". Efesios 2.1-3

Si todo hombre y mujer se sometiera al gobierno de Dios y su autoridad, se acabarían los problemas de la sociedad. El corazón del evangelio es traer la solución. Los pecados más horrendos que el hombre comete son a causa de la independencia de Dios. Jesús dijo: "Vengan a mí los que están trabajados y cansados, yo les daré la solución a todos sus problemas; entren al gobierno de Dios, y entonces, descansarán de sus cargas".

Si usted es una persona rebelde, que no se somete al gobierno de Dios, está en una contradicción absoluta; porque si la rebelión en un reino terrenal no es permitida, cuánto menos en el reino de Dios. Un propósito del evangelio del Reino es que el hombre vuelva a obedecer y a someterse a su sistema.

"[16]...para ser ministro de Jesucristo a los gentiles, ministrando el evangelio de Dios, para que los gentiles le sean ofrenda agradable, santificada por el Espíritu Santo. [17]Tengo, pues, de qué gloriarme en Cristo Jesús en lo que a Dios se refiere. [18]Porque no osaría hablar sino de lo que Cristo ha hecho por medio de mí para la obediencia de los gentiles, con la palabra y con las obras". Romanos 15.16-18

Pablo está diciendo que, si su ministerio no produce obediencia en palabras y obras, ha perdido el tiempo. De nada sirve que miles de personas reciban a Jesús como salvador, si ninguna de ellas obedece y se somete al gobierno de Dios. Lo único que vale es aquellos que obedecen el evangelio en palabras y obras. Ésos son los que cuentan y hacen su ministerio efectivo. Eso es, realmente, extender el reino de Dios en la Tierra.

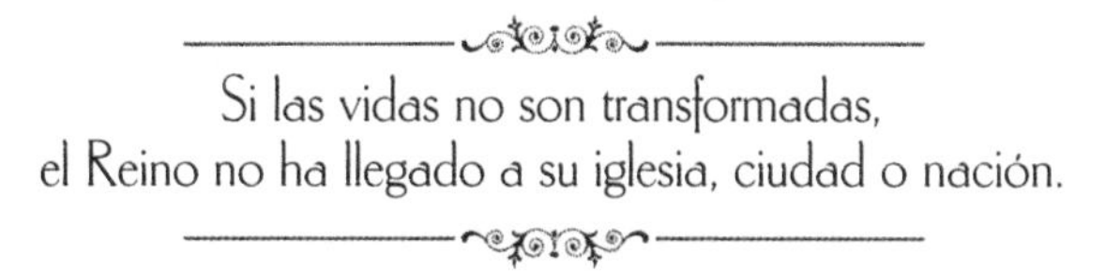

La actitud diaria de una persona que ha entendido el evangelio del Reino, es vivir y obedecer tanto a Dios como a las leyes y normas de su gobierno; y esto se manifestará en expresiones prácticas y permanentes.

Ilustración: Cuando las leyes naturales dicen que un cáncer es incurable, las leyes del reino de Dios dicen:

"[5]Mas él herido fue por nuestras rebeliones, molido por nuestros pecados; el castigo de nuestra paz fue sobre él, y por su llaga fuimos nosotros curados". Isaías 53.5

Dios ha establecido su reino en la Tierra a través de diferentes instituciones, las cuales pueden ejercer una autoridad delegada por el Rey Jesús. Nosotros debemos obedecer a esas autoridades, porque son una extensión del gobierno celestial en la Tierra (en tanto no violen la palabra de Dios, sus valores y principios).

❖ **Las autoridades terrenales**

En la Tierra, toda autoridad gubernamental ha sido establecida por Dios, y nosotros debemos respetar y obedecer sus normas y estatutos.

"[1]Sométase toda persona a las autoridades superiores; porque no hay autoridad sino de parte de Dios, y las que hay, por Dios han sido establecidas. [2]De modo que quien se opone a la autoridad, a lo establecido por Dios resiste; y los que resisten, acarrean condenación para sí mismos. [3]Porque los magistrados no están para infundir temor al que hace el bien, sino al malo. ¿Quieres, pues, no temer la autoridad? Haz lo bueno, y tendrás alabanza de ella; [4]porque es servidor de Dios para tu bien. Pero si haces lo malo, teme; porque no en vano lleva la espada, pues es servidor de Dios, vengador para castigar al que hace lo malo. [5]Por lo cual es necesario estarle sujetos, no solamente por razón del castigo, sino también por causa de la conciencia". Romanos 13.1-5

❖ **Las autoridades en el hogar**

"[1]Hijos, obedeced en el Señor a vuestros padres, porque esto es justo". Efesios 6.1

Los hijos obedecen al gobierno de sus padres, la esposa obedece al del esposo, y el esposo al de Cristo.

❖ **Las autoridades en la iglesia**

"[17]Obedeced a vuestros pastores, y sujetaos a ellos; porque ellos velan por vuestras almas, como quienes han de dar cuenta...". Hebreos 13.17

Los creyentes obedecen a su pastor y a sus líderes (ministros y ancianos) porque son las autoridades espirituales que Dios ha puesto para ayudarles a crecer en su camino.

- **Las autoridades en el trabajo**

Tenemos que obedecer a nuestros jefes. Nosotros mostramos nuestra sujeción a Dios, en forma práctica, obedeciendo a las autoridades delegadas de su gobierno.

Cuando lo hacemos, somos transformados, porque tenemos un encuentro con el gobierno y la autoridad divinos; entonces, encontramos la solución a todos los problemas del mundo, los cuales se resumen en uno principal (raíz de todos los demás): la independencia del gobierno de Dios. Éste es el mensaje central del evangelio del Reino: devolver al hombre al gobierno de Dios.

2. El mensaje de la Cruz

El apóstol Pablo predicó en Atenas por un buen tiempo, pero no plantó ninguna iglesia ni hizo nada poderoso, porque quiso usar su propia sabiduría. Pablo intentó ser listo, ingenioso e inteligente, pero sin mencionar el mensaje de la cruz. Por esto, cuando va a Corinto dice:

"[2]Pues me propuse no saber entre vosotros cosa alguna sino a Jesucristo, y a éste crucificado". 1 Corintios 2.2

La sabiduría humana
no tiene el poder de salvar ni cambiar los corazones;
sólo el mensaje de la obra redentora de Jesús en la cruz,
puede transformar las vidas para siempre.

En Corinto, Pablo decide no cometer el mismo error que en Atenas. Esta vez no comprometerá el mensaje de la cruz por quedar bien con el intelectualismo griego, pues ya había aprendido la lección.

"[17]Pues no me envió Cristo a bautizar, sino a predicar el evangelio; no con sabiduría de palabras, para que no se haga vana la cruz de Cristo. [18]Porque la palabra de la cruz es locura a los que se pierden; pero a los que se salvan, esto es, a nosotros, es poder de Dios". 1 Corintios 1.17, 18

De acuerdo a las enseñanzas de Pablo, el mensaje de la cruz tiene un ingrediente muy importante: el poder de Dios. Si se predica con sabiduría humana, las buenas noticias se vuelven vanas y dejan de ser el evangelio sobrenatural del Reino. El mensaje de la cruz viene a ser locura, ofensa o tropezadero para muchos.

Pablo dice que proclamemos las buenas nuevas, *"kerússo"*. Éste es un vocablo griego que significa proclamar en voz alta, gritar en público hasta el punto de ofender. Los griegos buscaban sabiduría humana; su sociedad era la cuna del intelectualismo y el humanismo, y su cultura negaba todo lo sobrenatural. Pablo cayó en la trampa, como caen muchos hoy día, de querer agradar sus mentes más que salvar sus almas. Pero aprendió la lección, y tomó una decisión radical: predicar sólo a Cristo y su crucifixión, porque allí reside el poder del evangelio del Reino.

El poder de la cruz se divide en dos partes:

- El tipo de muerte que Jesús padeció
- El poder de la resurrección

"[23]...pero nosotros predicamos a Cristo crucificado, para los judíos ciertamente tropezadero, y para los gentiles locura; [24]mas para los llamados, así judíos como griegos, Cristo poder de Dios, y sabiduría de Dios". 1 Corintios 1.23, 24

Para que el poder fuera desatado, no era suficiente con que Jesús muriera, tenía que hacerlo como un criminal: clavado en una cruz, castigado y afligido. Y así lo hizo. Abandonado por Dios, llevó en esa cruz nuestros pecados, iniquidades y enfermedades; y fue muerto y sepultado. Pero al tercer día, resucitó y recuperó las llaves de la Muerte y del Hades que Satanás tenía. Con su muerte,

Jesús pagó por nuestros pecados y restauró la relación entre el hombre y Dios; y con su resurrección, venció a la Muerte y recuperó la autoridad que el hombre había perdido en Edén.

El evangelio es "buenas noticias" porque anuncia la llegada del Reino: el orden absoluto de Dios y la ejecución de su voluntad en la Tierra, tal como en el Cielo. También es "buenas noticias" porque se predica el mensaje de la cruz: Cristo murió por nuestros pecados y resucitó, dejando todas nuestras transgresiones en la tumba y en el Infierno, para subir a sentarse en el Trono de gloria y gobernar su reino.

Los apóstoles que Jesús dejó en la Tierra para continuar su obra, predicaban el evangelio del Reino tal como Él lo había hecho. Veamos el ejemplo de Pablo:

"[1]Además os declaro, hermanos, el evangelio que os he predicado, el cual también recibisteis, en el cual también perseveráis; [2]por el cual asimismo, si retenéis la palabra que os he predicado, sois salvos, si no creísteis en vano. [3]Porque primeramente os he enseñado lo que asimismo recibí: Que Cristo murió por nuestros pecados, conforme a las Escrituras; [4]y que fue sepultado, y que resucitó al tercer día, conforme a las Escrituras". 1 Corintios 15.1-4

Éste es el mensaje de las buenas nuevas del Reino, el cual tenemos que gritar y anunciar en público. Jesús murió, fue sepultado y resucitó para nuestra justificación; ya no tenemos que ser pecadores ni esclavos del pecado o del vicio. Jesús resucitó, está vivo y reina con poder.

Ahora, profundizando en este misterio, diremos que el poder de la resurrección de Jesús no está solamente en el milagro físico de la misma. Por ejemplo, la resurrección de Lázaro fue un milagro físico; pero el Lázaro que resucitó era el mismo que había muerto, y pasados los años, volvió a morir. Nada cambió, excepto el hecho de que Dios se glorificó por medio de su resurrección. Los pecados y hábitos pecaminosos que Lázaro tenía antes de morir, todavía estaban en él después de su resurrección; su alma, su espíritu y su cuerpo fueron resucitados a lo mismo que eran antes de morir.

Pero esto no fue lo que ocurrió con Jesús. Aunque al momento de morir, estaba más sucio de pecado que cualquier otro hombre (porque llevó todos los pecados de la humanidad), cuando resucitó, ningún pecado había quedado en Él. Cuando Cristo resucitó, dejó todos los pecados en la tumba o en la profundidad del Infierno, adonde pertenecían. En su resurrección, Jesús fue levantado para sentarse en el Trono de gloria como el hombre nuevo; Él obtuvo la autoridad sobre Satanás, con el derecho legal de echarlo fuera y destruir su reino y todas sus obras en contra de la Creación. Por eso el poder de la resurrección es parte de las buenas nuevas del Reino.

¿Cuál es la evidencia de que Jesús está vivo?

"[2]...hasta el día en que fue recibido arriba, después de haber dado mandamientos por el Espíritu Santo a los apóstoles que había escogido; [3]a quienes también, después de haber padecido, se presentó vivo con muchas pruebas indubitables, apareciéndoseles durante cuarenta días y hablándoles acerca del reino de Dios". Hechos 1.2, 3

Cada uno de nosotros tiene pruebas, evidencias de que Jesús resucitó y está vivo, por la gran transformación y los cambios que hemos experimentado en todo nuestro ser. La resurrección hace a Jesús, diferente a cualquier profeta o líder de las miles de religiones que hay en el mundo. Ningún otro ha resucitado ni tiene el poder y la autoridad que Él conquistó. Amigo lector, ¿le gustaría creer en el evangelio del reino de Dios? Si usted cree, su vida será transformada para siempre.

¿En qué consiste el evangelio del Reino?

El evangelio del Reino consiste en dos elementos o ingredientes principales, con los cuales impacta al hombre y transforma su vida:

- La predicación de la Palabra
- La demostración del poder

Si anunciamos el evangelio del Reino, nuestra prédica siempre llevará estos dos elementos, los cuales son producidos por proclamar el Reino y el mensaje de la cruz. Si no predicamos el evangelio completo, el poder del Reino no se activa.

Si no predicamos el evangelio completo,
el poder del Reino no se activa.

"[5]...pues nuestro evangelio no llegó a vosotros en palabras solamente, sino también en poder, en el Espíritu Santo y en plena certidumbre, como bien sabéis cuáles fuimos entre vosotros por amor de vosotros".
1 Tesalonicenses 1.5

Hoy en día, se está predicando y enseñando un evangelio sólo de palabras; por eso no se ven resultados positivos. Porque las palabras sin poder no salvan a nadie, aunque sean bíblicas. Cuando hablamos de demostración de poder después de predicar la Palabra, nos referimos a la manifestación visible del poder de Dios (sanidades, milagros, prodigios, maravillas y expulsión de demonios), que trae transformación a las vidas.

En el Nuevo Testamento, no hay ninguna iglesia que no haya sido fundada en el poder de las señales, milagros, maravillas y expulsión de demonios. Si Dios no hace milagros y los demonios no huyen a través de usted, es porque no está predicando el evangelio del Reino. Será, simplemente, otro evangelio con palabras elocuentes y bonitas, pero sin poder. Sólo el evangelio del Reino trae en sí el poder de Dios para manifestar la condición sobrenatural de su gobierno.

¿Cómo predicó Pablo en Corinto después de los tres años en Atenas?

"[3]Y estuve entre vosotros con debilidad, y mucho temor y temblor; [4]y ni mi palabra ni mi predicación fue con palabras persuasivas de humana sabiduría, sino con demostración del Espíritu y de poder, [5]para que vuestra fe no esté fundada en la sabiduría de los hombres, sino en el poder de Dios".
1 Corintios 2.3-5

El evangelio del Reino, más que palabras, es poder de Dios.

"[16]Porque no me avergüenzo del evangelio, porque es poder de Dios para salvación...". Romanos 1.16

No hay por qué avergonzarnos cuando hablamos del evangelio, ya que es poder para sanar, salvar, liberar y transformar; es poder de Dios y "buenas noticias" para todos aquellos que están en calamidad y desesperación.

La Palabra y las obras van juntas

"[18]Porque no osaría hablar sino de lo que Cristo ha hecho por medio de mí para la obediencia de los gentiles, con la palabra y con las obras, [19]con potencia de señales y prodigios, en el poder del Espíritu de Dios; de manera que desde Jerusalén, y por los alrededores hasta Ilírico, todo lo he llenado del evangelio de Cristo". Romanos 15.18, 19

Pablo, una vez más, lleva el evangelio del Reino con palabras y obras. Así fue también la vida personal de Jesús. Él se movía en estas dos áreas: la palabra y el poder, la prédica y las obras.

"[19]Entonces él les dijo: ¿Qué cosas? Y ellos le dijeron: De Jesús nazareno, que fue varón profeta, poderoso en obra y en palabra delante de Dios y de todo el pueblo". Lucas 24.19

Si el evangelio que proclamamos no tiene estos ingredientes, es otro evangelio; o si tiene sólo una parte, entonces estamos predicando la mitad del evangelio. Debemos predicar el evangelio completo para que el Reino venga y Jesús regrese pronto.

¿Para quiénes son las buenas nuevas del Reino?

*"[18]El Espíritu del Señor está sobre mí, por cuanto me ha ungido para dar buenas nuevas a los pobres; me ha enviado a sanar a los quebrantados de corazón; a pregonar libertad a los cautivos, y vista a los ciegos; a poner en libertad a los oprimidos; [19]a predicar el año agradable del Señor".
Lucas 4.18, 19*

Ésta es una cita correspondiente al capítulo setenta y uno del libro de Isaías en el Antiguo Testamento. Antes de extendernos en lo que el Señor está hablando aquí, permítame situarlo en el trasfondo que encuadra este pasaje. Había una tradición judía, según la cual los primeros ocho versos del capítulo sesenta y uno de Isaías, estaban reservados para que los leyera el Mesías cuando llegara a la Tierra. Nadie más los podía leer. Por lo tanto, nadie se había atrevido a hacerlo. ¿Puede imaginar lo que sucedió cuando Jesús comenzó a declararlos...? En estos versos, el hijo de Dios describe las buenas nuevas del Reino, lo cual trajo un cambio total a la humanidad. Allí estaba contenida la provisión para todos los hombres sobre la faz la Tierra. Por eso estas buenas nuevas trajeron una revolución a toda la raza humana.

El evangelio del reino de Dios es para:

1. Dar buenas nuevas a los pobres

La primera buena noticia del Reino es dada a aquellos que son pobres materialmente. Jesús no está hablando aquí de pobres en espíritu. En el libro de Mateo, Él se refiere claramente a los pobres en espíritu. Pero cuando se trata de pobreza material, usa sólo la palabra *pobres.*

¿Quién es un pobre?

La palabra **pobre** es el vocablo griego *"ptojeúo"*, que significa ser destituido, pordiosero, reducido a extrema pobreza. Esta palabra sugiere el último peldaño de la escala financiera o social; alguien que carece, totalmente, de bienes en este mundo.

¿Sabía usted que cada vez que se predica
el evangelio del Reino, y la gente lo recibe,
la prosperidad material llega a su territorio?

Ilustración: Hay un lugar en Guatemala llamado Almolonga, el cual se puede señalar como la única ciudad de nuestra generación que ha vivido una total transformación espiritual y social. Una ciudad que, hasta la década de los setenta, estaba sumida en pobreza, miseria y libertinaje, hoy tiene un noventa por ciento de cristianos. La última cárcel fue cerrada hace varios años, porque el crimen ya no existe en la ciudad. Los granjeros de Almolonga han prosperado a tal punto, que venden sus vegetales a través de todo Centro América. Sus frutos han sido reconocidos y premiados en todas partes por su excelente calidad, tanto que hasta un grupo de expertos de Estados Unidos fue a estudiar el crecimiento de sus vegetales.

El evangelio del Reino llegó allí cuando el pastor Mariano Riscaje comenzó a echar fuera el demonio de alcoholismo que operaba fuertemente en la región. En tres meses, liberó alrededor de cuatrocientos hombres y mujeres alcohólicos; y el avivamiento no sólo comenzó, sino que se ha mantenido desde entonces. Esta ciudad ha prosperado a tal grado, que todos los frutos de la tierra son más grandes de lo normal, lo cual les da un alto índice de exportación de sus cosechas. Los campesinos compraron grandes camiones y maquinaria, y desarrollaron la producción agrícola a niveles nunca antes conocidos en la República de Guatemala. Hoy en día, Almolonga es una ciudad floreciente; el evangelio del Reino llegó con buenas noticias para los pobres, transformó sus vidas y los prosperó.

Jesús trajo "buenas noticias" a los desheredados de la Tierra, a los que no tienen bienes materiales, que no tienen comida, vestido, techo ni lo necesario para vivir. La buena noticia es que ya no tienen que seguir siendo pobres; el evangelio del Reino les traerá abundancia. Por eso Jesús dijo: *"[33]...buscad primeramente el reino de Dios y su justicia, y todas estas cosas os serán añadidas". Mateo 6.33*

¿Por qué el evangelio no ha traído prosperidad financiera a otros lugares donde se ha predicado?

La respuesta es simple. Las personas que lo predican no creen que Dios desee prosperar materialmente al pueblo; tampoco creen en el evangelio del Reino completo. Como consecuencia, predican otras noticias. No entienden que Jesús se hizo pobre para que nosotros fuéramos ricos.

"[9]Porque ya conocéis la gracia de nuestro Señor Jesucristo, que por amor a vosotros se hizo pobre, siendo rico, para que vosotros con su pobreza fueseis enriquecidos". 2 Corintios 8.9

Si Jesús es el dueño de todo el oro y la plata del mundo
y dio su vida por nosotros, ¿qué nos hace pensar
que a Él le agrada que vivamos en miseria?

No hay duda de que Jesús, en el Calvario, pagó por nuestra pobreza. Fuimos redimidos de ella. ¡Eso es buena noticia! ¡Gloria a Dios!

2. Los quebrantados de corazón

¿Quién es un quebrantado de corazón?

Quebrantado es el vocablo hebreo *"suntríbo"*, que significa triturar completamente, despedazar, aplastar, desmenuzar, estropear. Es decir, los quebrantados de corazón son aquellos cuyas mentes y emociones están hecho pedazos; son los desheredados emocionalmente. Su alma está fragmentada en mil pedazos; por esa razón, no tienen identidad, y viven siempre en un doble ánimo o doble personalidad. Todo esto, a causa del abuso físico, emocional, sexual, verbal, el rechazo de la gente, y el sufrimiento en su niñez y adolescencia; han sido aplastados por una sociedad cruel que busca sólo lo suyo.

"[1]El Espíritu de Jehová el Señor está sobre mí, porque me ungió Jehová; me ha enviado a predicar buenas nuevas a los abatidos, a vendar a los quebrantados de corazón, a publicar libertad a los cautivos, y a los presos apertura de la cárcel". Isaías 61.1

La versión popular de la Biblia lee así: *"...a sanar a los caídos, lastimados y quebrados por la calamidad".*

La traducción aramea dice: *"...para fortalecer con perdón a los lastimados"*.

El alma del hombre es fragmentada, herida y lastimada, cuando vive contrariamente a las leyes del reino de Dios. Hay personas lastimadas o heridas por sus cónyuges, por la sociedad o los amigos; otras están caídas por los problemas de la vida diaria, aplastadas por el fracaso en los negocios, por la muerte de un familiar o por las circunstancias que le rodean. Pero Dios envió a Jesús para traerles buenas noticias: el perdón divino es suficiente para que sean sanadas.

Amigo lector, ¿cuál es la buena noticia para usted?

La buena noticia para su vida es el perdón divino, la sanidad interior para su alma, poder juntar nuevamente esos pedazos y hacerle nuevo. Jesús vino para sanar la culpabilidad, la vergüenza, la tristeza, el luto, el temor, los complejos, el sentido de inferioridad, el rechazo, la amargura, la condenación. Las buenas nuevas del Reino son para que todos los quebrantados se sientan completos. La buena noticia es que usted ya no tiene que buscar psicólogos para que le ayuden a superar las crisis o a entender sus problemas, pues el reino de Dios trae sanidad al corazón del hombre. Pero para que esto suceda, el hombre necesita creer las buenas nuevas del Reino. Cuando usted reciba la restauración al gobierno de Dios y el mensaje de la Cruz, será libre en espíritu, alma y cuerpo. ¡Créalo, ahora mismo! Ésa es la buena noticia para los quebrantados de corazón.

3. Pregonar libertad a los cautivos

¿Quién es un cautivo?

"Aijmalotós", en griego, es uno que ha sido llevado prisionero por la fuerza, tomado por una lanza; uno que está subyugado, que ha sido llevado cautivo, preso. Los cautivos son los desheredados políticos y sociales.

¿Quién lleva cautivos a los hombres y mujeres hoy?

Hay tres fuerzas que encierran al hombre en cautividad dentro de su mismo ser: el diablo, el pecado y el sistema del mundo.

"[26]...y escapen del lazo del diablo, en que están cautivos a voluntad de él". 2 Timoteo 2.26

Millones de personas viven presas en su propia casa; presas de su raza e ideología, presas de la depresión, las pastillas y los tratamientos; presas en juegos de azar, amor al dinero, drogas, exceso de comida y pornografía; presas del alcohol o el miedo a la muerte. Es una cárcel de la que siempre están tratando de salir, pero el diablo no las deja. Les tiró un lazo del que no pueden escapar. ¿Es usted una de esas personas que están presas por el diablo y el pecado?

¿Cuáles son las buenas noticias del evangelio del Reino?

Las buenas noticias para los cautivos es que ya no tienen que estar presos del diablo, del sistema de este mundo o del pecado. Jesús llevó cautiva la cautividad, el lugar del Infierno donde iban todos los cautivos.

"[8]Por lo cual dice: Subiendo a lo alto, llevó cautiva la cautividad, y dio dones a los hombres". Efesios 4.8

Jesús llevó presa la cautividad y ésta ya no tiene más poder sobre aquellos que reciben el evangelio del Reino y el mensaje de la Cruz. Cuando una persona es libre de su cautiverio, puede comenzar a soñar. Los cautivos no pueden soñar aunque quieran. Pero Jesús resucitó y derrotó la cautividad y dio dones a los hombres. Si usted se siente preso, ¡sea libre ahora!

"[1]Cuando Jehová hiciere volver la cautividad de Sion, seremos como los que sueñan". Salmos 126.1

Jesús trajo buenas noticias a los cautivos para que puedan volver a soñar; soñar con restaurar su familia, con ser sanados de la depresión, con terminar sus estudios, con tener su propio negocio; soñar con sacar su nación de la pobreza, con impactar su sociedad por medio del evangelio; soñar con hijos saludables, a quienes puedan dar educación y ayudar a ser llenos del temor de Dios... pues ahora son libres de la cautividad. Es como un nuevo despertar y un nuevo comienzo, donde todos los horrores del pasado han desaparecido. Ahora son libres de la cautividad. Amigo lector, ¡reciba las buenas nuevas del evangelio del Reino y vuelva a soñar!

La habilidad de soñar es símbolo de libertad.
Cuanto más libre sea, más capacidad de soñar tendrá.

4. Dar vista a los ciegos

¿Quién es un ciego?

Aquí Jesús no sólo se refiere a los enfermos de la vista, sino a los desheredados de la salud física en general, cuyo cuerpo está enfermo. La sanidad del cuerpo es parte integral de la obra de Jesús en la cruz del Calvario; por lo tanto, también es parte de las buenas nuevas del Reino. Dondequiera que iba Jesús, predicaba, sanaba y echaba fuera demonios. Cuando Juan el Bautista dudó de Jesús como Mesías, éste le mandó un recado, en el cual resumía el mensaje del reino de Dios y su poder, que eran su vida, su propósito y ministerio.

"[4]Respondiendo Jesús, les dijo: Id, y haced saber a Juan las cosas que oís y veis. [5]Los ciegos ven, los cojos andan, los leprosos son limpiados, los sordos oyen, los muertos son resucitados, y a los pobres es anunciado el evangelio". Mateo 11.4, 5

La enfermedad es una maldición. Jesús vino a redimirnos de ella, por tanto, debemos orar por los enfermos en la iglesia, en la oficina, en el trabajo. Porque esas buenas noticias son para los que están enfermos.

"[13]Cristo nos redimió de la maldición de la ley, hecho por nosotros maldición (porque está escrito: Maldito todo el que es colgado en un madero)". Gálatas 3.13

Jesús nos redimió de la maldición del pecado, la enfermedad y la pobreza. Nuestras enfermedades eran producto del pecado; pero ahora, Jesús nos da la buena noticia: Él pagó por nuestro pecado y por nuestra enfermedad. ¡Recibamos la salud!

5. Poner en libertad a los oprimidos

¿Quién es un oprimido?

Éste es el vocablo griego *"dslíbo"*, que significa apretar, afligir, atribular, en forma intensa. Es la misma raíz de la palabra aflicción, de la cual Jesús habló en el evangelio según Juan. Ésta, literalmente, significa opresión, tensión, angustia en la mente. Es tener muchos asuntos sueltos y no tener control alguno sobre ellos. Una vez más, esa angustia, esa pena, prisión, tensión, opresión en la mente de una persona, es causada por el mundo, el diablo y sus demonios. Éstos oprimen la mente del hombre para que se conforme a su sistema y viva siempre en angustia y depresión.

Hoy día hay millones de personas con opresión mental. Muchas quieren morir, sienten que la cabeza les va a explotar. Están oprimidas porque su matrimonio tiene problemas, sus hijos se fueron de la casa, la situación financiera está difícil, quedaron sin trabajo, no tienen dinero para comprar comida ni para pagar los estudios de sus hijos. Todo sale mal y al mismo tiempo. Tienen muchas piezas sueltas, fuera de su control. Son los desheredados mentales, que tienen muchos problemas en la mente, y están deprimidos porque su vida parece no tener propósito ni significado.

¿Cuáles son las buenas noticias del Reino para los oprimidos?

"[38]...cómo Dios ungió con el Espíritu Santo y con poder a Jesús de Nazaret, y cómo éste anduvo haciendo bienes y sanando a todos los oprimidos por el diablo, porque Dios estaba con él". Hechos 10.38

Jesús vino a poner en libertad a los oprimidos; por tanto, ya no tienen que vivir en tensión, preocupados por lo que pasará mañana. Jesús venció al mundo y sus demonios.

6. A predicar el año agradable del Señor

"[10]Y santificaréis el año cincuenta, y pregonaréis libertad en la tierra a todos sus moradores; ese año os será de jubileo, y volveréis cada uno a vuestra posesión, y cada cual volverá a su familia". Levítico 25.10

¿Qué es el año agradable del Señor?

Esta práctica comenzó en el Antiguo Testamento, cuando Jehová dio a Moisés instrucciones sobre el manejo de la tierra y las cosechas. Su nombre, entonces, era Año del Jubileo, y era proclamado cada cincuenta años. En este tiempo, ocurrían tres eventos especiales:

- Todas las deudas eran perdonadas.
- Todos los esclavos eran liberados.
- Todas las tierras volvían a sus dueños originales.

¿Cuál es la buena noticia?

Cuando Jesús murió, dijo: *"consumado es"*. Esta frase es el vocablo griego *"teléo"*, que significa terminar, completar, ejecutar, concluir, descargar una deuda; pagar, satisfacer, acabar, consumar, cumplir. En otras palabras, ya no quedaba nada por pagar. El hijo de Dios fue nuestro Jubileo. Esta expresión de Jesús fue un grito de victoria, no de dolor. El precio del pecado había sido pagado por completo. ¡Jesús había triunfado! pues estaba derramando hasta la última gota de su sangre. Éste era el mismo grito que daba un gladiador cuando vencía a su oponente en las luchas romanas de aquel tiempo.

Jesús pagó por los quebrantados de corazón, para que fuesen sanados de sus heridas interiores; llevó cautiva la cautividad para sanar a los enfermos; llevó cautivas todas las enfermedades mentales y la miseria, para liberar a los oprimidos; y por último, las deudas del pecado fueron perdonadas, los esclavos fueron liberados y todo lo que el diablo les había robado, les sería devuelto. Había llegado el "año agradable" del Señor.

Las buenas nuevas del Reino causaron una revolución en la sociedad de aquel tiempo, porque abarcan todos los aspectos de la existencia de una persona y de la sociedad entera: el área mental, física, espiritual, emocional, relacional, económica, política y demás.

Las buenas nuevas del Reino
son la única respuesta satisfactoria para el ser humano
y para todas las naciones del mundo.

¿A quién le encomendó Dios el evangelio del Reino?

Jesús, después de resucitar, apareció a sus discípulos y les encomendó la propagación del evangelio del Reino. Nosotros, sus discípulos, también somos hoy los encargados de llevar ese evangelio al perdido, al oprimido, al enfermo, al cautivo. Debemos proclamar el año agradable del Señor.

"[4]...sino que según fuimos aprobados por Dios para que se nos confiase el evangelio...". 1 Tesalonicenses 2.4

¡Es tan poderoso el hecho de que Dios no haya confiado a los ángeles su evangelio, sino a nosotros! ¡Qué privilegio nos da el Señor de que seres humanos, con faltas y defectos, seamos los portadores del evangelio del Reino! Pero Él no nos lo confió para que nos quedemos con él, sino para que lo prediquemos. El evangelio del Reino es el poder de Dios, la continuación de la actividad salvadora de Jesucristo; por lo tanto, nosotros que somos quienes continúan el ministerio de Jesús, debemos ejercer ese poder y traer el Reino completo a nuestra sociedad. Porque así como Él es, nosotros también somos, y somos herederos de la misma gracia.

"[11]...según el glorioso evangelio del Dios bendito, que a mí me ha sido encomendado". 1 Timoteo 1.11

Timoteo era discípulo de Pablo, así como nosotros somos discípulos de otros hombres de Dios. Pero el evangelio es el mismo y nos ha sido encomendado a todos los discípulos del cuerpo de Cristo.

¿Cuál es el mandato o comisión que Jesús dejó a cada creyente?

"[15]Y les dijo: Id por todo el mundo y predicad el evangelio a toda criatura". Marcos 16.15

- **Id**

  Esta palabra da la idea de ir a través de, o viajar con el propósito de experimentar. Es decir que, hasta que no vayamos no podremos experimentar el poder de Dios en nuestra vida. Este mandato es para cada hijo del Reino; no es una sugerencia, tampoco un deseo, es una orden que todos debemos obedecer. No podemos quedarnos en casa y esperar que los inconversos lleguen. Ése no fue el mandato. El mandato es ir. ¡Tenemos que ir! ¡Tenemos que ir!

- **Pablo dijo que la comisión le fue impuesta**

  "[16]Pues si anuncio el evangelio, no tengo por qué gloriarme; porque me es impuesta necesidad; y ¡ay de mí si no anunciare el evangelio! [17]Por lo cual, si lo hago de buena voluntad, recompensa tendré; pero si de mala voluntad, la comisión me ha sido encomendada". 1 Corintios 9.16, 17

  Ilustración: solamente el 2% de los cristianos ha ganado un alma para Jesús en toda su vida. ¡Eso tiene que cambiar! Predicar el evangelio es para todos: adultos, jóvenes, hombres, mujeres y niños. No es si queremos, es una *"impuesta necesidad"*.

- **Tenemos que ponernos el calzado para ir**

  "[7]¡Cuán hermosos son sobre los montes los pies del que trae alegres nuevas, del que anuncia la paz, del que trae nuevas del bien, del que publica salvación, del que dice a Sion: ¡Tu Dios reina!". Isaías 52.7

  Cuando llevamos el evangelio, vamos calzados con el poder de Dios y nada nos puede hacer daño.

¿A dónde vamos a ir?

El mandato es ir a todo el mundo; a las naciones, al trabajo, la oficina, la ciudad, la fábrica, los pueblos, aldeas, negocios, gobierno; a las escuelas, universidades, colegios, hospitales, cárceles, casas, vecindarios. Así como Jesús fue a todos los lugares, nosotros también debemos ir.

"[1]Aconteció después, que Jesús iba por todas las ciudades y aldeas, predicando y anunciando el evangelio del reino de Dios, y los doce con él". Lucas 8.1

¿Quiénes somos?

Somos testigos del evangelio y de Jesús

"[8]...pero recibiréis poder, cuando haya venido sobre vosotros el Espíritu Santo, y me seréis testigos en Jerusalén, en toda Judea, en Samaria, y hasta lo último de la tierra". Hechos 1.8

Un testigo de Jesús es aquel que tiene una evidencia innegable, de primera mano, del poder transformador del reino de Dios.

Somos sal y luz del mundo

"[13]Vosotros sois la sal de la tierra; pero si la sal se desvaneciere, ¿con qué será salada? No sirve más para nada, sino para ser echada fuera y hollada por los hombres. ". Mateo 5.13

La sal tiene tres utilidades principales:

- Da sabor a los alimentos.
- Es una influencia que traspasa y penetra.
- Preserva las carnes para evitar que se corrompan.

Usted puede poner un trozo de carne y añadir una pequeña cantidad de sal, y el trozo entero caerá bajo la influencia de la sal. Naturalmente, usted no usa la misma cantidad de sal que de carne. El trabajo de la sal es silencioso pero poderoso, trabaja evitando que las cosas se pudran. Los creyentes que son sal, evitan que los matrimonios se divorcien, evitan que se pierdan los valores bíblicos. Ellos son la sal que influencia a otros para que se salven; son los que evitan que todo alrededor se pudra, lo preservan.

Jesús dijo: *"ustedes son la sal de la tierra"*. La potencia del Reino es tan grande que, si usted llega a trabajar a un edificio donde hay muchas personas, eventualmente tendrá a toda esa gente bajo su influencia. Usted, como cristiano, puede estar solo en la escuela o en la oficina, y rodeado de muchas personas que no aman a Dios; pero recuerde la potencia del Reino que lleva en su espíritu. Si fue puesto por Dios en ese lugar, tarde o temprano todos esos endemoniados estarán bajo su influencia, y podrá establecer el Reino en sus mentes y corazones. Usted no puede añadir un grano de sal a un pedazo de carne sin que ésta sea afectada. Por esa razón, usted ha sido llamado a lugares difíciles. Dios le pone como la sal del Reino en la ciudad, la oficina, la fábrica, el colegio, la escuela y todo lugar al que llegue.

Ilustración: Usted puede ser puesto en medio de una casa infectada de drogas, homosexualidad e idolatría, y en un tiempo, verá a las personas rendirse a su influencia. La sal es poderosa. ¡Estamos afectándolo todo!

La sal le da sabor a la comida. La comida sin sal es insípida; los seres humanos están buscando algo que le dé sabor a su vida. El cristiano está llamado y enviado a dar sabor a la existencia de los que no conocen a Jesús.

"[6]Sea vuestra palabra siempre con gracia, sazonada con sal, para que sepáis cómo debéis responder a cada uno". Colosenses 4.6

La luz del mundo es la vida del Reino que habita en cada creyente

"[14]Vosotros sois la luz del mundo; una ciudad asentada sobre un monte no se puede esconder." Mateo 5.14

La luz sobrepasa las tinieblas y contrasta con ellas para que todos la vean. La sal trabaja silenciosamente, pero la luz trabaja en público. La luz del creyente es la credibilidad que tiene ante las personas que lo rodean; representa el buen testimonio que tiene en su caminar diario con Cristo. Por ejemplo, una manera de ser luz es encender la llama de una visión en la iglesia, en la familia, en la ciudad y en todo el mundo.

La luz, fuente máxima de poder y energía, cumple tres funciones:

- Expone o manifiesta la verdad de la revelación de la Palabra para que podamos verla y confesarla.

- Desplaza la oscuridad de manera definitiva.

La luz y la oscuridad no pueden coexistir, son mutuamente excluyentes. Por eso Jesús nos llamó a ser luz de la Tierra, para manifestar el carácter del Reino aquí, e influenciar a nuestra sociedad.

Somos embajadores y mensajeros del Reino

"[20]Así que, somos embajadores en nombre de Cristo, como si Dios rogase por medio de nosotros; os rogamos en nombre de Cristo: Reconciliaos con Dios". 2 Corintios 5.20

Un embajador es una persona que actúa como representante de otra. Éste no se representa ni se pertenece a sí mismo, y el mensaje que transmite nunca es propio, sino de aquel que le confió y encomendó la misión diplomática. En este caso, quien nos envía es el rey Jesús, y la misión es predicar el evangelio del Reino y demostrar su poder.

Ilustración: Un individuo es enviado como embajador de los Estados Unidos de América a las Naciones Unidas. Físicamente, es pequeño, visco, sin pelo y con anteojos grandes, pero la gente lo oye y lo respeta por la autoridad y el gobierno que representa. Nosotros representamos el reino de Dios, somos embajadores del

Reino. Si nos comportamos como tales y anunciamos lo que nuestro Rey nos encomendó y realizamos sus obras, la gente nos escuchará.

Otro punto revelador e importante es que cuando un embajador es enviado a una nación extranjera, quien le envió es responsable de proveer todo lo que el embajador necesite para cumplir su misión. Nosotros somos enviados por el Rey de reyes y nuestra provisión viene del reino al cual pertenecemos.

Somos como Jesús

"[17]En esto se ha perfeccionado el amor en nosotros, ...pues como él es, así somos nosotros en este mundo". 1 Juan 4.17

Haremos las mismas obras

"[12]...El que en mí cree, las obras que yo hago, él las hará también; y aun mayores...". Juan 14.12

Somos embajadores de Jesús en la Tierra, enviados con su poder para hacer las obras que Él hizo y aun mayores.

¿A quién le llevaremos el mensaje?

El mensaje del Reino y de la Cruz es para los pobres, los cautivos, oprimidos, enfermos, ciegos, esclavos al vicio; para profesionales, cultos, incultos, no profesionales, negros, blancos, hispanos, ricos, hombres, mujeres, altos, bajos, jóvenes, adultos, ancianos, niños, etcétera.

¿Qué vamos a hacer?

Al igual que Jesús, nuestra tarea es predicar, enseñar, sanar y echar fuera demonios. Es practicar las dos partes del evangelio del Reino, la Palabra y las obras.

"[17]Y estas señales seguirán a los que creen: En mi nombre echarán fuera demonios; hablarán nuevas lenguas; [18]tomarán en las manos serpientes, y si bebieren cosa mortífera, no les hará daño; sobre los enfermos pondrán sus manos, y sanarán". Marcos 16.17, 18

¿Quién irá con nosotros?

El Espíritu Santo de Dios nos dará poder, denuedo y autoridad, y confirmará con milagros lo que nosotros hablemos.

"[20]Y ellos, saliendo, predicaron en todas partes, ayudándoles el Señor y confirmando la palabra con las señales...". Marcos 16.20

¿Por qué vamos a orar?

El embajador del reino de Dios debe estar siempre preparado. Una forma de estar preparado es la práctica constante de la oración. Pero en el marco de la misión que vamos a cumplir, hay motivos específicos por los cuales debemos orar:

- Para que Dios abra puertas.

  "[3]...orando también al mismo tiempo por nosotros, para que el Señor nos abra puerta para la palabra, a fin de dar a conocer el misterio de Cristo...". Colosenses 4.3

- Para que el Espíritu Santo nos dé citas divinas.

- Para que Dios nos prepare de manera que, cada día, podamos hablar a alguien del evangelio.

- Para que la venda sea quitada de los ojos de la gente. El evangelio del Reino sólo puede ser entendido por revelación del Espíritu Santo.

  "[11]Mas os hago saber, hermanos, que el evangelio anunciado por mí, no es según hombre; [12]pues yo ni lo recibí ni lo aprendí de hombre alguno, sino por revelación de Jesucristo". Gálatas 1.11, 12

- Para que el entendimiento de las personas sea abierto. Ninguna persona que tenga su mente libre puede rechazar el evangelio del reino de Dios.

  "[3]Pero si nuestro evangelio está aún encubierto, entre los que se pierden está encubierto; [4]en los cuales el dios de este siglo cegó el entendimiento de los incrédulos, para que no les resplandezca la luz del evangelio de la gloria de Cristo, el cual es la imagen de Dios". 2 Corintios 4.3 4

¿Cuáles son nuestras armas?

Jesús nos ha dado muchas armas y recursos para llevar a cabo nuestra comisión; por lo tanto, no debemos sentir temor de predicar el evangelio del Reino. Jesús nos ha dado la unción del Espíritu Santo, la armadura espiritual, el nombre de Jesús, la Palabra, la oración, la fe, la autoridad, el poder, la sangre y los dones del Espíritu Santo.

¿Cuándo es el tiempo de ir y llevar el evangelio?

¡Hoy es el tiempo!

"[2]...que prediques la palabra; que instes a tiempo y fuera de tiempo; redarguye, reprende, exhorta con toda paciencia y doctrina. [5]Pero tú sé sobrio en todo, soporta las aflicciones, haz obra de evangelista, cumple tu ministerio". 2 Timoteo 4.2, 5

¿Quién irá por el Señor Jesús?

"[14]¿Cómo, pues, invocarán a aquel en el cual no han creído? ¿Y cómo creerán en aquel de quien no han oído? ¿Y cómo oirán sin haber quien les predique? [15]¿Y cómo predicarán si no fueren enviados? Como está escrito: ¡Cuán hermosos son los pies de los que anuncian la paz, de los que anuncian buenas nuevas!". Romanos 10.14, 15

Debemos decir: "Heme aquí, Señor, yo iré. Me calzo los pies con el evangelio de la paz, y salgo a anunciar tu palabra". La cosecha está lista. Las multitudes están sedientas de las buenas noticias del Reino.

Las almas están listas para recibir al Señor y su reino. ¡Dios cuenta contigo!

El gran ejército de Dios está compuesto por hombres y mujeres apasionados por su causa y armados con la autoridad, el poder y los dones del Espíritu Santo.

Capítulo 10

El Espíritu Santo el creyente y la expansión del reino

Entrar al Reino, disfrutarlo y hacer que llegue a nosotros, está directamente relacionado con el poder del Espíritu Santo. La llave del reino de Dios para gobernar la Tierra, es aquello invisible que opera en lo visible. Mientras el Espíritu Santo viva en una persona, el reino de Dios seguirá siendo establecido en la Tierra; de esta manera, Él podrá gobernarla. En otras palabras, Dios gobierna por medio del Espíritu Santo –un ser invisible, operando en un espíritu humano invisible, que vive en un cuerpo humano visible en la Tierra–. Entonces, el Espíritu Santo, que vive en nosotros, es quien trae el Reino a la Tierra. Por lo tanto, si el Espíritu Santo mora en nuestro interior, el Reino y todo lo que lo constituye –como justicia, paz, gozo, poder, orden, paternidad, amor y obediencia–, sumado a la voluntad de Dios, tienen que manifestarse en nosotros cada día.

Éste es el mismo espíritu que ungió a Jesús cuando fue bautizado, para declarar las buenas nuevas del Reino. En el evangelio de Juan, Jesús enseña que sus obras son hechas por el Padre que está en Él; pero en el evangelio de Lucas, dice que esas obras las hace por el Espíritu Santo que mora en Él. Lo que estaba diciendo es que, tanto el Padre como el Espíritu Santo, trabajaban con Él, porque los tres son uno. Así mismo sucede con nosotros.

"[38]...cómo Dios ungió con el Espíritu Santo y con poder a Jesús de Nazaret, y cómo éste anduvo haciendo bienes y sanando a todos los oprimidos por el diablo, porque Dios estaba con él". Hechos 10.38

Entonces, el agente de Dios en la Tierra encargado de manifestar el Reino, es el Espíritu Santo; pero Él, a su vez, necesita un cuerpo humano que ponga en práctica los principios de ese reino. Sólo el hombre tiene derecho legal para operar en la Tierra, y sólo él puede darle legalidad y curso al accionar del poder del Espíritu Santo. Dios lo estableció así en su Palabra, y Él es el primero en respetar y obedecer, en forma absoluta, este principio.

Cuando Jesús fue bautizado y el Espíritu Santo vino sobre Él, comenzó a traer el Reino a la Tierra, echando fuera demonios; es decir, desplazando el reino de las tinieblas para establecer el reino de Dios.

"[20]Mas si por el dedo de Dios echo yo fuera los demonios, ciertamente el reino de Dios ha llegado a vosotros". Lucas 11.20

El dedo de Dios es señal de autoridad y poder absoluto,
y cuando se extiende, derrota a sus enemigos
y da la victoria a los hijos del Reino.

En cuanto Jesús comienza a echar fuera demonios, los fariseos –hombres religiosos, que rechazaban el poder del Espíritu Santo y lo sobrenatural– lo critican. ¿A qué se refiere Jesús cuando hace mención al dedo de Dios? La expresión *"por el dedo de Dios"* es otra forma de decir: "por el Espíritu Santo". En el Antiguo Testamento, solamente se menciona una vez, en el libro de Éxodo.

"[19]Entonces los hechiceros dijeron a Faraón: Dedo de Dios es éste...". Éxodo 8.19

Para entender mejor esto, repasemos brevemente el contexto de este versículo. Estamos en el relato donde Moisés y Aarón le comunican al faraón de Egipto que Jehová le ordena dejar en libertad al pueblo de Israel. Pero Dios, al tiempo que enviaba a Moisés con diversas señales de su poder, endurecía el corazón del faraón, y éste no dejaba salir al pueblo de su esclavitud. Hasta aquí, los hechiceros del faraón habían podido imitar todo lo que Dios hacía por la palabra hablada de Moisés y Aarón. Sin embargo, cuando llegan al punto de un milagro *creativo* (creacionista), la supremacía de Dios se hace notoria. En esta fase, Jehová convierte el polvo en piojos. Los brujos y hechiceros realizan sus encantamientos, tratando, una y otra vez, de igualar el milagro, pero sin lograrlo. Ante esto, no les queda otra alternativa que reconocer, delante del faraón y de Moisés, que aquello era un prodigio producido por el dedo de Dios. Es decir, hasta los brujos y hechiceros sabían que existía un dios más poderoso que los que ellos servían. Pero el faraón, nublado por su orgullo y su empecinamiento, no daba su brazo a torcer.

Hasta este momento, Moisés había estado haciendo milagros por la palabra de fe que Dios le daba que hablara. Pero a partir de esta señal, ya no es más Moisés, sino que ahora es Jehová quien entra directamente en la batalla. Esto hizo que los hechiceros temieran y reconocieran que ya no podían seguir peleando, pues sabían que ya no enfrentaban a dos hombres, sino al Dios grande y temible.

¿Qué es el dedo de Dios?

El dedo de Dios es el Espíritu Santo, vistiéndose con un cuerpo humano y entrando en la batalla que Dios nos mandó a pelear. Cuando se proclama el Reino, el Espíritu Santo mismo entra en la batalla, toma nuestra humanidad y nos convertimos en el dedo de Dios. Por lo tanto, nosotros *somos* el dedo de Dios.

La última declaración de Jesús antes de ascender al Cielo, tiene que ver con recibir al Espíritu Santo. Jesús dijo que Éste nos daría el poder para ejercer la voluntad del Padre en la Tierra, y convertirnos en el dedo de Dios para derrotar a sus enemigos.

"[49]...pero quedaos vosotros en la ciudad de Jerusalén, hasta que seáis investidos de poder desde lo alto". Lucas 24.49

La gente necesita el Reino porque el Reino es poder. Hoy día todo el mundo está buscando poder, incluso usted. La gente estudia, trabaja y se desvela porque busca salir de esa condición de inferioridad en que se encuentra, y tener el control de las circunstancias que afectan su vida. Muchas personas creen que van a encontrar poder en el intelectualismo, en los negocios, en las ciencias, en el dinero, la fama, etcétera; pero el verdadero poder sólo es dado por el Espíritu Santo cuando entramos al Reino. La clave para extender el gobierno de Dios en la Tierra, es ser investido con el poder del Espíritu Santo; de esa manera, nos convertimos en el dedo de Jehová y echamos fuera los demonios, desplazando a Satanás de los territorios que nuestro Rey nos ha mandado a conquistar.

¿Cómo el Espíritu Santo extiende el Reino en la Tierra?

La única manera de extender el reino de Dios en la Tierra es por la *fuerza*. Cada vez que se enseña y predica el evangelio del Reino, se está haciendo una declaración de guerra al reino de las tinieblas; por lo tanto, tenemos que estar listos para luchar contra el enemigo porque él opondrá resistencia. Jesús hizo una declaración en la que usó palabras claves, tales como: fuerza, violentos, sufrir, arrebatar. Esto nos indica que el establecimiento del reino de Dios en la Tierra es violento.

"[12]Desde los días de Juan el Bautista, hasta hoy, el reino de los cielos ha soportado un ataque violento, y hombres violentos lo toman por la fuerza (como un premio precioso, una porción en el reino de los cielos, buscada con el más ferviente celo e intenso empeño)". Mateo 11.12 - Biblia Amplificada

Dependiendo de la traducción, este verso se interpreta de diferentes maneras. Para un entendimiento más cercano de su significado, es preferible consultar el manuscrito griego. Allí, el verbo **sufrir** está en voz pasiva, de manera que la traducción correcta sería: *"algo violento ha sido hecho contra el Reino, pero el Reino ha reaccionado violentamente, avanzando por la fuerza"*.

En otras palabras, dondequiera que el reino de Dios se manifiesta, siempre es asaltado por Satanás de forma violenta, particularmente, en su etapa inicial. Esto es así porque lo que más terror le da al diablo son las demostraciones de poder del reino de Jesús; fuera de eso, no teme a nada más. Cualquier manifestación del reino de Dios, es una amenaza para Satanás. Jesús dijo: "hasta Juan el Bautista, no había nadie en la Tierra que predicara acerca del Reino". En el momento en que Jesús comienza a establecer el gobierno de Dios aquí, todos los poderes demoníacos se levantan contra Él. Por eso Jesús contraataca aún con más violencia: en el desierto reprendió a Satanás con la Palabra, y cuando salió a predicar, echó a los demonios fuera de las personas y estableció el Reino en ellas. ¡Violento!

Tenemos que entender que ésta es la única manera de hacer avanzar el reino de Dios. No podemos hacerlo pacíficamente, debemos ser hombres y mujeres violentos. Jesús fue el primer hombre valiente que atacó, de manera frontal, el reino de las tinieblas. Cuanto más hacemos avanzar el reino de Dios, contraatacando los poderes de las tinieblas, predicando, sanando y echando fuera demonios, más autoridad adquirimos. A eso se le denomina: "autoridad ganada".

Ilustración: Cuando yo comencé a echar fuera demonios de las personas y a sanar a los enfermos, me tomaba mucho tiempo hacerlo. Ahora, por las experiencias de la guerra, tengo mayor autoridad y poder. Esto hace posible que eche fuera los demonios en cuestión de segundos, y que las personas sean, en la mayoría de los casos, sanadas instantáneamente. Ya no tengo que ministrar a las personas una por una; simplemente, declaro la Palabra, y las sanidades y liberaciones se producen en masa. Por lo tanto, puedo extender el Reino más y a mayor velocidad.

El reino de Satanás solamente puede funcionar
donde el reino de Dios aún no ha llegado,
ya que dos gobiernos no pueden cohabitar
en el mismo territorio.

El reino de las tinieblas sabe que debe retirarse cuando el reino de Dios llega a un lugar. Es más, donde el gobierno divino es establecido, Satanás no puede afligir a las personas que están viviendo en total sumisión y obediencia al Padre (la sumisión y la obediencia hicieron impenetrable la vida de Jesús). Cuando el reino de Dios se extiende a una familia, iglesia o ciudad, el reino de las tinieblas se detiene y el diablo no puede atacar más. Esto se debe a que los hijos del Reino le han quitado el derecho legal para operar en ese territorio.

Cualquier avance del gobierno de Dios es una invasión al territorio de Satanás, ya que no existe tierra ni zona vacante. Ésta es la razón de que el reino de Dios sufra violencia. En el momento en que llega, Satanás comienza a defender su territorio. Por regla general, ante cualquier manifestación del Reino habrá, siempre e instintivamente, una reacción demoníaca.

¿Cuáles son las formas de avance del Reino en la Tierra?

Como todo gobierno, el reino de Dios tiene estrategias o etapas de avance, establecimiento, desarrollo y expansión. Vamos a ver cuáles son las modalidades de avance y establecimiento de este reino eterno.

1. **La predicación o proclamación del Reino *sin* demostración visible de poder**

    Ésta es la faceta de inicio del reino de Dios, la cual tiene que ver con enseñar, anunciar y proclamar el Reino con palabras, pero sin demostraciones de poder. Éste fue el caso de Juan el Bautista, quien nunca hizo un milagro ni una señal sobrenatural. Él anunciaba la llegada del Reino, pero no lo establecía ni lo demostraba. Eso vendría con Jesús.

    "[41]Y muchos venían a él, y decían: Juan, a la verdad, ninguna señal hizo; pero todo lo que Juan dijo de éste, era verdad". Juan 10.41

    La mayor parte de iglesias y ministerios se quedan en esta etapa (aunque después de la venida de Jesús ya no hay razón para estancarse en ella); enseñan y predican el Reino, reprenden lo malo, pero no manifiestan ninguna señal visible (como sanar a un enfermo).

    Recordemos que el evangelio del reino de Dios es proclamación y obras, palabras y poder; si no lleva estos dos ingredientes, no es el evangelio del Reino. Juan el Bautista predicó el Reino sin el equipamiento del Espíritu Santo para echar fuera demonios y demostrar el poder del nuevo gobierno. A consecuencia de esto, fue el primero en morir en la guerra por la ocupación de aquel territorio; fue encarcelado y luego decapitado por predicar el reino de Dios.

Juan el Bautista vino en el poder del espíritu de Elías; pero esa unción no era suficiente para vencer y derribar los principados y potestades. Por esta razón, Juan fue vencido por el espíritu de Jezabel. Lo mismo le sucedió a Elías; sin embargo, Eliseo vino con una unción doble (apostólica y profética) y pudo destruir a Jezabel, logrando lo que Elías no había podido. Miles de años después, Jesús vino como el gran Eliseo; cruzó la línea de predicar sólo con palabras, pasando a la segunda etapa, la demostración.

2. La predicación del Reino *con* demostración visible de poder

Cuando Juan el Bautista termina la predicación del reino de Dios comienza el nuevo orden, el de Jesús. Éste comenzó a predicar, enseñar y demostrar el reino de Dios con milagros, sanidades y prodigios, y echando fuera demonios. La expulsión de demonios jamás se había visto en la Escritura; Jesús fue el primer hombre con la autoridad para sacarlos del cuerpo y la mente de las personas. A partir de Jesús, el Reino comenzó a extenderse por medio de la demostración visible del poder de Dios.

¿Cómo cruzó Jesús la línea que separa las palabras de los hechos visibles o la demostración?

Jesús cruzó esta línea por la fuerza, con *violencia*; de ahí que más tarde y por experiencia propia, dijera que sólo los violentos arrebatan el Reino. Amigo lector, por si acaso usted no lo sabe, ésta es una guerra de reinos. Es el gobierno de Dios contra el gobierno de las tinieblas. Por lo tanto, no podemos pretender cumplir nuestra misión pacíficamente; tenemos un adversario ocupando el territorio con la intención de quedarse a toda costa. Para lograr desplazarlo y establecer el nuevo gobierno, necesitamos la ayuda y el poder del Espíritu Santo.

En nuestro tiempo, hay miles de creyentes estancados en la primera etapa; nunca pudieron extender el Reino en su territorio, por miedo al enemigo. Entonces, hicieron las paces con él, no le quitaron el territorio, y a cambio, obtuvieron un permiso o licencia para establecer una religión en sus dominios. Se siguen llamando cristianos, pero no tienen poder; hablan de un reino lejano, futuro, sin impacto ni expresión en el presente.

El reino de Dios es hoy y aquí, a través de nosotros.
No podemos negociar con el enemigo; él se tiene que ir.

Jesús predicó el Reino con la demostración visible del poder de Dios. Él fue un hombre obediente que vivió bajo la autoridad delegada del Padre, lo cual le permitió expresar el Reino en palabras y obras. Pero esta autoridad aún estaba limitada al ámbito terrenal, porque Jesús todavía no había resucitado. La resurrección del Mesías escondía un secreto que desataría su poder para afectar, también, los aires y las potestades del reino de las tinieblas. Por el momento, el avance del Reino fue extendiéndose a sus doce discípulos y, luego, a los setenta. Jesús les delegó a ellos la autoridad del Reino en la Tierra para que hicieran lo mismo que Él hacía.

3. El avance del Reino por medio del poder de la resurrección

En la etapa anterior de la predicación o proclamación del Reino, Jesús operó bajo la autoridad que viene por obediencia. Ésta es una autoridad limitada a la Tierra, la cual se gana por someterse o estar bajo autoridad. Es decir, si somos obedientes, seremos llevados a este mismo nivel. Jesús vino a mostrar cómo es el Reino; por eso, como ser humano, vivió en total obediencia al Padre. Él ganó la batalla decisiva del desierto, y marcó el principio de la manifestación del reino de Dios en la Tierra. Es decir, a partir de ese momento, se desató la etapa de la proclamación con la demostración visible del gobierno de Dios.

Pero Jesús no estaba satisfecho. Él era el único instrumento de Dios, el único que predicaba y demostraba el Reino. Sí, era poderoso porque era un hombre con una espada de dos filos saliendo de su boca y de su mano, representando el Reino tanto en la palabra como en las obras. Cuando Él hablaba la Palabra, cosas poderosas ocurrían; cuando obraba con sus manos, milagros poderosos tomaban lugar. Pero, Jesús reconoce en uno de los evangelios: "esto no es mío, sino del Espíritu Santo"; y en otro, dice que es el Padre en Él, usando su humanidad.

En los tres años y medio que dura su ministerio, Jesús experimentó un gran nivel de frustración; Él hacía todo solo, y era tanto el trabajo que casi no tenía tiempo para dormir ni comer. Pasaba largos momentos de oración y, el resto del tiempo, se dedicaba a suplir la necesidad del pueblo. Pero era tanta, que Él no podía hacer el trabajo solo, entonces decidió enviar a sus doce discípulos.

"[1]Habiendo reunido a sus doce discípulos, les dio poder y autoridad sobre todos los demonios, y para sanar enfermedades". Lucas 9.1

Estos doce hombres comienzan a extender el Reino, proclamándolo con la demostración del poder de Dios: sanando a los enfermos y echando fuera demonios. Pero, pronto, Jesús se da cuenta de que el trabajo todavía es mucho y decide comisionar a otros setenta.

"[1]Después de estas cosas, designó el Señor también a otros setenta, a quienes envió de dos en dos delante de él a toda ciudad y lugar adonde él había de ir". Lucas 10.1

Los setenta van a cumplir la comisión y vuelven con mucho gozo, pues los enfermos son sanados, los endemoniados, liberados y el reino de Dios avanza con mayor fuerza. El avance del gobierno celestial trae regocijo a nuestros corazones.

"[17]Volvieron los setenta con gozo, diciendo: Señor, aun los demonios se nos sujetan en tu nombre. [20]Pero no os regocijéis de que los espíritus se os sujetan, sino regocijaos de que vuestros nombres están escritos en los cielos". Lucas 10.17, 20

El mismo libro de Lucas narra que algo le sucede a Jesús cuando ve que el enemigo está siendo expulsado del territorio: se regocija.

"[21]En aquella misma hora Jesús se regocijó en el Espíritu, y dijo: Yo te alabo, oh Padre, Señor del cielo y de la tierra, porque escondiste estas cosas de los sabios y entendidos, y las has revelado a los niños. Sí, Padre, porque así te agradó". Lucas 10.21

Ésta es la única parte de la Escritura que muestra que Jesús se regocija. Algo tan poderoso sucedió en su espíritu, que trajo regocijo a su corazón.

A partir de allí, Jesús continúa extendiendo el Reino con ochenta y dos hombres, pero tampoco son suficientes para suplir las necesidades de la gente. Incluso, en esta etapa, sigue con una gran frustración porque no puede hacer avanzar el Reino en toda su plenitud, poder y autoridad. Jesús se siente restringido.

"[49]Fuego vine a echar en la tierra; ¿y qué quiero, si ya se ha encendido? [50]De un bautismo tengo que ser bautizado; y ¡cómo me angustio hasta que se cumpla!". Lucas 12.49, 50

La palabra **angustio** es la traducción del vocablo griego *"sunéjo"*, que significa apretar, angustiar, constreñir, estrechar, tener preso, comprimir. Para Jesús, estos días fueron de restricción, frustración, estrechez; se sentía preso porque la plenitud del Reino no podía fluir. Esto se debía a que todavía no había muerto y resucitado; por eso aunque estaba extendiendo el Reino, sólo era en su segunda etapa: la predicación de la Palabra con demostración de poder.

La resurrección de Jesús encierra un poder
que todavía no hemos terminado de entender.

En el verso anterior, Jesús habla de un bautismo distinto al bautismo en aguas o del Espíritu Santo: el bautismo de sufrimiento;

es decir, todo lo que Él iba a pasar en la cruz. Él decía para sí: "Cuando muera en la cruz y resucite de entre los muertos, voy a encender *toda* la tierra con fuego".

En el segundo nivel, Jesús pudo manifestar el Reino como el primer hombre obediente que vivió bajo la autoridad delegada del Padre. Recuperó la autoridad que Adán había perdido, por eso podía perdonar pecados, sanar a los enfermos, echar fuera demonios y controlar la naturaleza. Pero su esfera de autoridad todavía estaba limitada a la Tierra, porque aún no tenía la autoridad en los Cielos, ni estaba listo para derribar los principados y potestades. Eso sólo sería posible cuando muriera en la cruz y resucitara de entre los muertos.

Durante su ministerio como hombre, Jesús dijo:

"[24]Pues para que sepáis que el Hijo del Hombre tiene potestad en la tierra para perdonar pecados...". Lucas 5.24

Mas una vez resucitado, anuncia:

"[18]...Toda potestad me es dada en el cielo y en la tierra".
Mateo 28.18

La mayor parte de la Iglesia de Cristo se mueve sólo en el primer nivel de avance del Reino: la predicación *sin* demostración del poder de Dios. Otro porcentaje se desenvuelve en la segunda etapa de avance: la predicación o proclamación *con* demostración del poder de Dios. La Iglesia, en general, ya se está moviendo en esto a nivel mundial; pero aun no hay una manifestación clara, fuerte y definida del reino o gobierno de Dios en la Tierra. Un ejemplo de ello es que la mayoría de las ciudades del mundo, carecen de justicia, paz y gozo. Por consiguiente, encontramos en ellas drogadicción, idolatría, brujería, crimen, abortos, pecado, inmoralidad, inmundicia, etcétera. No hay una ciudad llena de paz y justicia, llena de la gloria de Dios. En este nivel de avance, no vamos a lograr tomar las ciudades para el reino de Dios. Sin embargo, el Señor prometió en su palabra que restauraríamos las ciudades y las generaciones venideras...

"[4]Reedificarán las ruinas antiguas, y levantarán los asolamientos primeros, y restaurarán las ciudades arruinadas, los escombros de muchas generaciones". Isaías 61.4

Note que ni siquiera Jesús logró restaurar una ciudad, porque su ministerio se movió sólo en la segunda etapa de avance.

Veamos el ministerio de Jesús en Jerusalén. Él estuvo predicando, enseñando, sanando y echando fuera demonios por tres años y medio; hizo los milagros más extraordinarios y poderosos que un ser humano hubiera visto hasta entonces. Uno de los milagros más impactantes de su ministerio fue la resurrección de Lázaro. Después de cuatro días, el cuerpo de su amigo seguramente había comenzado el proceso de putrefacción; pero Jesús lo llamó... y Lázaro salió de la tumba. Sin embargo, la reacción de la ciudad ante semejante milagro, fue querer matar a Jesús (y a Lázaro). Los principales y los sacerdotes de Israel acordaron matarlo para evitar que siguiera haciendo señales, y que la gente lo siguiera.

Las enseñanzas más poderosas de Jesús tuvieron lugar en Jerusalén. Por tres años y medio, las multitudes vinieron a Él. Si estaban enfermas, las sanaba; si tenían hambre, las alimentaba; los ciegos veían, los sordos oían, los cojos andaban, los leprosos eran limpiados y los muertos resucitados. Sin embargo, después de tres años y medio, la ciudad seguía igual. Por eso Jesús terminó con una membresía de ciento veinte personas, realmente comprometidas, en su congregación. No le fue tan bien como a algunos pastores de hoy.

La razón de este impacto tan pequeño, no se explica porque hubiera un problema en el ministerio de Jesús. La causa eran los principados y potestades que dominaban los aires de Jerusalén, y obstaculizaban el avance del reino de Dios. Estas potestades que gobernaban la ciudad aún no habían sido derribadas o expulsadas; para que esto sucediera, Jesús tenía que morir, resucitar (lo cual implicaba vencer definitivamente a Satanás), ascender a los Cielos, sentarse en su trono (a la diestra del Padre) y comenzar a ejercer dominio y autoridad a través del Espíritu Santo.

Es interesante ver que esto mismo sucede en nuestro tiempo. Las ciudades están llenas de tinieblas, pecado, crimen e idolatría. Las iglesias proclaman el evangelio, sanan a los enfermos y echan fuera demonios, pero las ciudades no cambian porque la Iglesia no ha derribado las potestades y los principados que gobiernan los aires. De ahí que el Reino no se establezca de forma clara, fuerte y definida.

De nada nos sirve tener una iglesia en fuego
en una ciudad controlada por Satanás.

Ilustración: En muchos ministerios, se salvan y pasan al altar cien personas, pero al siguiente mes, se apartan cincuenta; en otras, se sanan cinco personas de cáncer y al siguiente mes se mueren tres; se bautizan otras cien en aguas, y luego, la mitad se vuelve al mundo. La iglesia comienza a crecer por dos o tres semanas, pero pronto se vuelve a estancar, y el mismo ciclo se repite año tras año. El liderazgo está creciendo y madurando, hasta que, de repente, un líder se va de la iglesia, y sale atacando al pastor, hablando mal de él, difamándolo y arrastrando consigo parte de la congregación. Es una continua guerra que nunca termina debido a que los principados y potestades de esa ciudad o región están resistiendo el avance del Reino. Por eso ¡deben ser derribados!

Jesús, el hijo de Dios, estaba insatisfecho y descontento en el segundo nivel de avance del Reino; por ello *quería resucitar y encender toda la Tierra con el fuego del Espíritu Santo*. Pero no pudo hasta que fue bautizado con el bautismo de sufrimiento. Jesús murió llevando en su cuerpo el pecado del hombre, el cual es la naturaleza del pecado de Adán. Recibió la ira completa de

Dios por todos los pecados y por la naturaleza pecaminosa del hombre. Dios cargó sobre su hijo todas nuestras iniquidades. Jesús fue a la cruz, descendió al Infierno, venció la Muerte y, al tercer día, resucitó. Con ello arrebató las llaves del Infierno y de la Muerte, y todo el poder y la autoridad le fueron dados a Él. ¡Gloria a Dios!

"[18]Y Jesús se acercó y les habló diciendo: Toda potestad me es dada en el cielo y en la tierra". Mateo 28.18

¿Qué sucede después de que Jesús resucita?

Jesucristo es el perfecto redentor. Él pagó el precio completo de nuestra redención. Y esto no fue solamente como hombre (por toda la raza humana, la cual estaba atada por Satanás y sin esperanza), sino también como el León de la tribu de Judá, para pagar por la redención de la Tierra. Jesús vino a ser el redentor y dueño legal que redimió como hombre, al hombre, y como Dios, la Tierra toda.

Ahora, Jesús como hombre y como Dios puede legalmente, desde su trono y con todo el poder del Cielo, ordenar a Satanás y a sus demonios, a los principados y potestades sobre la ciudad, que se vayan de su mundo. Este hombre resucitado ascendió a los Cielos y se sentó en su trono, por encima de todo gobierno, reino, poder, dominio, señorío, principado, demonios y nombres en la Tierra y en el Cielo; y su autoridad continuará en este siglo y en el venidero.

"[20]...la cual operó en Cristo, resucitándole de los muertos y sentándole a su diestra en los lugares celestiales, [21]sobre todo principado y autoridad y poder y señorío, y sobre todo nombre que se nombra, no sólo en este siglo, sino también en el venidero". Efesios 1.20, 21

¿A quién delega Jesús la autoridad y el poder que conquistó con su resurrección?

Una vez recibidos el poder y la autoridad para desplazar a los principados y potestades que gobernaban los aires, Jesús se los delegó a la Iglesia, mientras Él ascendió al Cielo para sentarse en su trono a gobernar.

"22...y sometió todas las cosas bajo sus pies, y lo dio por cabeza sobre todas las cosas a la iglesia". Efesios 1.22

Después de todo esto, el reino de Dios es proclamado y manifestado en Jerusalén, bajo el poder de la resurrección. Apenas los discípulos reciben el bautismo del Espíritu Santo en el Aposento Alto, derriban y destronan los principados y potestades de la ciudad, e inmediatamente, comienzan a recoger la cosecha.

Pedro predica en la fiesta de Pentecostés y tres mil personas son salvas y se añaden a la Iglesia. Luego, el mismo Pedro vuelve a predicar, y un hombre cojo se sana, y cinco mil personas más se agregan a la Iglesia. Dos años después de Pentecostés, una tercera parte de Jerusalén ya era salva; es decir, más de veinte mil personas se habían convertido en ese corto período.

Como se puede ver, Jesús resucitó, pero no fue Él quien derribó los principados de Jerusalén, sino sus discípulos con el poder de la resurrección conquistado y delegado por Él. De este modo, hoy nadie tiene excusas ni puede decir, si Jesús lo hubiese hecho, que le fue posible porque era el hijo de Dios. Fueron sus discípulos, hombres comunes y corrientes como usted y como yo, para que nosotros también lo podamos hacer, y no haya pretextos para la toma de la ciudad.

Nuestras iglesias necesitan la revelación para proclamar el evangelio con la demostración del poder de la resurrección, y así recoger la cosecha. Sobre todo, para que podamos ver nuestras ciudades y naciones transformadas, restituidas al reino de Dios y a su diseño original.

"10...a fin de conocerle, y el poder de su resurrección, y la participación de sus padecimientos, llegando a ser semejante a él en su muerte". Filipenses 3.10

El anhelo del apóstol Pablo era conocer a Jesús y tener revelación del poder de su resurrección, para tomar la ciudad, las naciones y el mundo entero con el evangelio del Reino. Los discípulos vivieron el resto de sus vidas, predicando en el poder de la resurrección de Jesús, con señales y milagros.

El poder del Reino
cambia el curso de nuestro destino.
Pasamos de la derrota y la muerte,
a la vida eterna y la victoria segura.

Para concluir, la palabra de Dios nos enseña que nosotros fuimos muertos juntamente con Jesús, y también, que resucitaremos con Él.

"[4]Porque somos sepultados juntamente con él para muerte por el bautismo, a fin de que como Cristo resucitó de los muertos por la gloria del Padre, así también nosotros andemos en vida nueva. [5]Porque si fuimos plantados juntamente con él en la semejanza de su muerte, así también lo seremos en la de su resurrección". Romanos 6.4, 5

Como creyentes, hemos recibido el poder de la resurrección. Debemos tomar la decisión de ir y derribar, destronar los principados y potestades de nuestra ciudad, nación o región, liberar las almas que han estado atadas por Satanás, recoger la cosecha y traer la reforma y la restauración del reino de Dios.

4. El avance del Reino por la fuerza

Ésta es la faceta más violenta de la guerra. El conflicto entre el reino de Dios y el reino de las tinieblas se convierte en un choque violento de poderes; ésta es la fase donde no sólo predicamos, enseñamos y lo demostramos, sino que lo extendemos a nuestros territorios.

Ilustración: Cierta vez, un musulmán radical le preguntó a un cristiano: "¿Usted es uno de esos cristianos que hablan lenguas, sanan a los enfermos y hacen milagros?". El cristiano le respondió afirmativamente; entonces el musulmán le dijo: "Ustedes son los únicos a los que nosotros les tenemos terror".

Cuando hablamos de extender el Reino por la fuerza, debemos entender qué estamos haciendo y con qué estamos lidiando. El avance del Reino es una agresión constante; es más, en esta guerra, ningún nivel se alcanza sin cierto grado de agresión. Por mínima que sea, siempre habrá agresión. Dios nos llama porque es tiempo de agredir, de atacar. Cuando comenzamos a extender el reino de Dios por la fuerza, el diablo lo entiende como una declaración de guerra y comienza a atacar. En este momento, nosotros debemos continuar con un ataque sostenido y violento; y la manera de hacerlo es expulsando demonios, sanando a los enfermos, liberando a los cautivos y sanando a los quebrantados de corazón.

El Espíritu Santo extiende el Reino a través de nosotros. Éste es el espíritu de guerra, el mismo que guió a Jesús al desierto para ser tentado, pelear contra Satanás y vencerlo con el poder de la Palabra. Al vencerlo, conquistó la autoridad y el poder que nos dio para extender su reino en la Tierra. Este mismo Espíritu guió a Jesús a la cruz, para llevar todos los pecados y enfermedades de la humanidad, y luego lo llevó al Infierno, donde recuperó las llaves de la Muerte y del Hades, y finalmente, lo resucitó con poder para completar su misión y subir al Cielo a sentarse a la diestra del Padre a gobernar. Ese mismo Espíritu de guerra y conquista está en nosotros, Jesús nos lo envió.

¿Cuáles son las áreas en las cuales debemos extender el reino de Dios?

Hoy, hay muchos lugares tomados por el enemigo; por eso vemos una sociedad corrupta, sin valores ni dirección. El reino de las tinieblas tiene tomadas las universidades, las entidades gubernamentales, médicas, judiciales y demás. Debemos dar un contraataque violento y masivo para desterrarlo de esos lugares y establecer allí el reino de Dios.

Tenemos que extender por la fuerza (con el poder del Espíritu Santo) el gobierno divino a los medios de comunicación, la religión, la política, el deporte, la educación, el cine, el mercado, la ciencia, la economía; a la escuela, el colegio, la universidad, la oficina, los barrios, las ciudades, las naciones y todo el mundo, y establecer allí los valores, principios, formas de pensar, métodos y conocimiento del reino de Dios. La gente necesita el reino de Dios y la persona de Jesucristo porque su corazón está vacío. La gente está deprimida e insatisfecha, necesita algo más poderoso que una simple religión. ¡Hoy es el tiempo de extender el Reino por la fuerza!

¿Qué necesita el Espíritu Santo para extender el Reino en la Tierra?

El Espíritu Santo es omnipotente para hacer todo lo que Dios quiera; pero recordemos que el Padre decidió que toda obra en la Tierra se hiciera a través de un ser humano. Por lo tanto, para extender el Reino en la Tierra, el Espíritu Santo necesita lo siguiente:

1. Un cuerpo humano

El Espíritu Santo es el agente que Dios usó para crear al hombre. Dios le formó a Adán un cuerpo físico para depositar en él su espíritu, su aliento de vida, para gobernar la Tierra a través de él y mediante la declaración de su palabra. La intención original de Dios era que el hombre reinara y gobernara en la Tierra, por eso le dio un cuerpo. Dios le otorgó al hombre dominio y señorío para establecer su Reino aquí. Cuando Dios sopló sobre Adán, lo activó para actuar en el mundo visible con el poder de un espíritu invisible. Dios lo conectó a los dos mundos.

"[16]Los cielos son los cielos de Jehová; y ha dado la tierra a los hijos de los hombres". Salmos 115.16

Cuando Adán fue conectado al mundo espiritual, le fue dado poder para ejercer dominio sobre la Creación. Recordemos que un cuerpo sin el aliento de Dios, no puede gobernar la Tierra.

Cuando Él viene a nuestra vida, lo primero que activa en nosotros es un espíritu de dominio.

"[7]Porque no nos ha dado Dios espíritu de cobardía, sino de poder, de amor y de dominio propio". 2 Timoteo 1.7

Ilustración: Cuando nosotros nacimos de nuevo y entramos al reino de Dios, el enemigo tembló, porque estábamos siendo reconectados con nuestro propósito de ejercer dominio y señorío. Ése es nuestro primer propósito en la Tierra: señorear sobre la Creación. Dios necesita nuestra humanidad para hacer avanzar su Reino en la Tierra, pues Él sólo puede intervenir en los asuntos de los hombres por medio de un ser humano. De otra manera, estaría violando su propia justicia. Dios necesita que esos individuos reúnan dos virtudes esenciales, dos requisitos:

- **Disponibilidad**

"[8]Después oí la voz del Señor, que decía: ¿A quién enviaré, y quién irá por nosotros? Entonces respondí yo: Heme aquí, envíame a mí". Isaías 6.8

Dios no está buscando hombres talentosos, inteligentes, sabios, ricos o famosos; Él busca hombres dispuestos a hacer avanzar su Reino. Dios busca un ser humano que le diga: "Señor, no soy el más adecuado, ni el más brillante, pero estoy disponible".

Dios busca un ser humano
que le diga: "Señor, no soy el más adecuado
ni el más brillante, pero estoy disponible".

- **Obediencia**

Obediente es alguien que oye para practicar o hacer lo que se le dice. Dios lo dijo: *"obediencia quiero y no sacrificio"*. Para saber si somos obedientes, hay cuatro pruebas que debemos pasar: La comodidad, la conveniencia, lo ganancioso y lo razonable. En el último nivel, nuestra obediencia es probada a fuego. Si obedecemos a Dios cuando lo que nos pide no tiene sentido, cuando no es razonable, entonces somos útiles para extender su reino. *D.L. Moody* dijo: "Dios no puede hacer nada sin un hombre. El mundo todavía no ha visto lo que Él puede hacer a través de uno. Concédeme, Señor, que yo sea ese hombre". Hay gente que sigue y ama a Jesús, mientras le es cómodo, ganancioso y conveniente. Pero cuando no es razonable, no es capaz de cruzar la línea. ¡Nosotros tenemos que cruzar esa línea y servir a Dios, aunque lo que nos pida no tenga sentido!

2. Un corazón para la guerra

Cuando decidimos llevar el Reino hacia adelante, el Infierno entero se levanta en contra de nuestra familia, negocio, hijos... Entonces, la persecución comienza. Llegado un momento así, nuestro corazón debe estar listo para la guerra. Cuando usted comienza a declarar guerra contra el aborto, la inmoralidad sexual, la corrupción y el pecado, cuando empieza a declarar que el matrimonio sólo puede ser entre un hombre y una mujer, y que el libertinaje es pecado, el reino de las tinieblas se levanta contra usted.

"[17]Y luego que Faraón dejó ir al pueblo, Dios no los llevó por el camino de la tierra de los filisteos, que estaba cerca; porque dijo Dios: Para que no se arrepienta el pueblo cuando vea la guerra, y se vuelva a Egipto". Éxodo 13.17

La generación que salió de Egipto hubiera podido poseer la tierra prometida de inmediato, si hubiese tenido corazón para la guerra. Pero en vez de danzar, creerle a Dios y tomar la tierra, los hombres de esta generación tuvieron miedo, se quejaron, dudaron y nunca entraron en posesión de ella.

Nosotros hoy hacemos lo mismo. Queremos poseer lo que nos pertenece, nuestra herencia, sin luchar. Y cuando las situaciones se ponen difíciles y demandan guerra, en vez de pelear, nos quejamos, murmuramos y nos derrumbamos. ¡Tenemos que pelear una batalla! Las guerras son una manera de permitirle a Dios mostrar su poder a favor de nosotros, y dejarlo ser Dios. Él nos dará el socorro para ganar la batalla. ¡No hay duda de que saldremos victoriosos! Pero la pregunta es: ¿tenemos el corazón para hacerlo? Usted nunca se convertirá en un guerrero si sólo quiere ser un creyente o un líder carismático feliz, acomodado en su iglesia. Los creyentes no pueden ser la solución para su país y su ciudad si no tienen un corazón para la guerra, si no creen que su destino sea ganar la batalla. Recuerde, aquí no estamos hablando de guerra física contra seres humanos, sino de una guerra espiritual contra el gobierno de las tinieblas.

"[1]Éstas, pues, son las naciones que dejó Jehová para probar con ellas a Israel, a todos aquellos que no habían conocido todas las guerras de Canaán; [2]solamente para que el linaje de los hijos de Israel conociese la guerra, para que la enseñasen a los que antes no la habían conocido...". Jueces 3.1, 2

Estos hombres son los que Dios socorre, aquellos que tienen corazón para la guerra. Éste fue el caso de David, cuyo corazón de guerrero y adorador lo hacía conforme al corazón de Dios.

"[38]Todos estos hombres de guerra, dispuestos para guerrear, vinieron con corazón perfecto a Hebrón, para poner a David por rey sobre todo Israel; asimismo todos los demás de Israel estaban de un mismo ánimo para poner a David por rey". 1 Crónicas 12.38

Jehová es varón de guerra

"[3]Jehová es varón de guerra; Jehová es su nombre". Éxodo 15.3

Si usted no se enfrenta a esta realidad (que debe pelear por lo que le pertenece), no tomará posesión de sus promesas. No hay otra manera de poseer lo que nos pertenece, más que yendo al territorio enemigo y arrebatándolo. Recuerde: nuestra guerra no es contra seres humanos, sino contra el diablo y sus demonios.

"[24]Todo lugar que pisare la planta de vuestro pie será vuestro; desde el desierto hasta el Líbano, desde el río Éufrates hasta el mar occidental será vuestro territorio". Deuteronomio 11.24

La palabra **pisar** significa machacar, caminar, pisotear; pero más que eso, es el sendero o destino que seguimos en la vida. Muchos líderes han entrado en un *pacto de neutralidad* con el enemigo; por eso, sus ministerios e iglesias no avanzan, están estancados. ¡Estos líderes necesitan cruzar la línea! El Espíritu Santo está llevando a su pueblo a extender su reino. Debemos estar disponibles y ser obedientes, pues nosotros somos parte de ese pueblo.

Ejercer dominio y señorío significa afirmar las leyes y la voluntad del Reino en la Tierra; por eso, la Escritura nos llama reyes y sacerdotes. Un sacerdote es aquel que ofrece sacrificios de oración y adoración a Dios, pero también, ejerce dominio sobre un territorio y refuerza las órdenes y las leyes del Reino. Para esto, usa el poder que el Espíritu Santo le ha dado. ¿Está usted disponible para extender el Reino por la fuerza? ¿Está dispuesto a ser el hombre o la mujer usado por Dios para cambiar las leyes y prohibir el aborto, prohibir el matrimonio homosexual, etcétera? ¿Está dispuesto a que Dios le use para llevar el Reino a su familia, empresa, ciudad y nación? ¿Está dispuesto a ceder su cuerpo al Espíritu Santo para extender el Reino, según su dirección y aun cuando lo que le pida, no tenga sentido?

Vivamos como reyes y sacerdotes del reino de Dios,
ofreciendo sacrificios de alabanza
y estableciendo su gobierno en todo territorio,
hasta lo último de la Tierra.

CONCLUSIÓN

La intención original de Dios fue gobernar la Tierra por medio de la libre voluntad del hombre. Como creación divina perfecta, éste fue puesto en la Tierra dentro del reino o gobierno de Dios. Mientras se mantuviera dentro del Reino, el enemigo no podría tocarlo. Pero en cuanto se independizó, siguiendo las mentiras de Satanás, el control de la Tierra pasó a manos del enemigo de Dios. Recordemos en forma sinóptica, todo lo que sucedió después y cómo se restaura la raza humana al reino de Dios.

- Después de la caída de Adán y Eva, toda la Creación fue puesta bajo maldición, corrupción, enfermedad y muerte.

- Dios espera que le demos el control completo de nuestra vida, porque eso es lo mejor para nosotros; su voluntad es buena, agradable y perfecta.

- El mensaje principal de Jesús fue el reino de Dios, y su primera proclama fue: "*arrepentíos*", lo cual significa cambiar de mentalidad y de forma de vida.

- En su ministerio, Jesús le dio prioridad absoluta al mensaje del Reino, que es el gobierno de Dios con toda su autoridad, orden, dominio y señorío, establecido para que se haga la voluntad del Rey.

- La voluntad de Dios es establecida en forma totalitaria, y requiere una obediencia absoluta. Pero sólo allí encontramos libertad completa.

- La justicia del reino de Dios es un tema central en el mensaje de Jesús. Justicia es derecho, salvación, rectitud moral, prosperidad, carácter santo, equidad, obras de justicia, entre otras acepciones.

- Cuando Dios no encontró un hombre justo que se interpusiese por los demás, Él mismo se vistió de justicia y trajo su reino a la

Tierra. Porque la justicia del Reino es para restaurar o hacer prevalecer el derecho.

- La justicia de Dios es para gobernar con imparcialidad. Dios es justo aun con sus enemigos.

- Hay tres verdades absolutas: el reino de Dios, la persona de Jesús y la Palabra. Jesús es el Verbo hecho carne; es la Palabra que tiene vida en sí misma, que puede transformar al ser humano y traer el gobierno de Dios.

- La Biblia es la Constitución escrita del Reino, por la cual se rige su gobierno; por tanto, todo está sujeto a ella, incluso el mismo Rey.

- Jesús es la absoluta verdad, el absoluto camino y la vida absoluta.

- La verdad es el nivel más alto de realidad; por eso el cristianismo es algo real, no un idealismo.

- Jesús enseñó nueve principios básicos del Reino, presentados en grupos de tres; cada grupo contiene dos virtudes opuestas, resultantes en una tercera, balanceada y equitativa.

- Jesús enseñó o trazó *El sermón del monte* bajo el concepto de verdades paralelas-opuestas, para traer un balance en el carácter de quien lo vive.

- *El sermón del monte* es el fundamento del reino de Dios que nos prepara para ir a la guerra.

- Para entrar al reino de Dios, tenemos que nacer de nuevo. Nacer de nuevo es ser engendrados por el Espíritu de Dios.

- El reino de Dios viene en tres fases: el Reino se acerca, está entre o dentro de nosotros, y llega o está sobre nosotros, con las manifestaciones visibles de su poder.

- Los elementos esenciales del Reino son: justicia, paz, gozo, orden, obediencia, sumisión y humildad.

- El reino de Dios consiste en relaciones y poder: poder para ser y para hacer u obrar. Nosotros somos capaces de ser y de hacer todo lo que Dios es capaz de ser y hacer.
- Lo sobrenatural es la marca del reino o gobierno de Dios.
- El reino de Dios tiene dos características principales: sus leyes son superiores a las de cualquier otro reino, y funciona en la eternidad, no en el tiempo.
- Hay dos tipos de creyentes: Los creyentes tipo Juan el Bautista, que anuncian el evangelio pero no hacen milagros, y los creyentes tipo Jesús, que anuncian el evangelio y demuestran el poder del Reino.
- Un misterio es conocimiento retenido de aquellos que no desean oírlo ni obedecerlo. Pero es revelado a quienes tienen hambre de Dios y quieren hacer su voluntad.
- Las *cosas secretas* son asuntos ocultos, clasificados y codificados a los que sólo Dios tiene acceso.
- Los cuatro tipos de oidores o discípulos del Reino son: los que no entienden la Palabra y la rechazan, los que la reciben con entusiasmo al momento, los que hacen que la semilla se ahogue, y los que oyen y reciben la Palabra.
- Las condiciones que Dios requiere de nosotros para recibir sus misterios son: estar sedientos y hambrientos, ser humildes y enseñables, ser obedientes a esas revelaciones y valorar lo que nos es revelado.
- La palabra *evangelio* significa buenas noticias. Las buenas nuevas del Reino están compuestas por el mensaje del Reino y el mensaje de la Cruz.
- El diablo le tiene terror al evangelio del Reino; por eso viene a robarlo del corazón de las personas.

- Jesús encomendó su evangelio a cada uno de nosotros los creyentes, para ir por todo el mundo, como testigos y embajadores del mismo, tal como Él lo hizo.

- El Espíritu Santo es el agente encargado de manifestar el reino de Dios en la Tierra a través del ser humano.

- El dedo de Jehová es el hombre investido con el poder del Espíritu Santo. Es cuando Dios mismo entra en la batalla y derrota al enemigo.

- La gente necesita el Reino porque significa poder para cambiar las circunstancias a su alrededor, en vez de ser dominada por éstas.

- No existe territorio vacante. Es decir, donde no está el reino de Dios, está el reino de Satanás; por lo tanto, para establecer el reino de Dios, hay que desterrar el reino de las tinieblas. Esto sólo se hace por la fuerza.

- El Reino se extiende con la predicación del evangelio y la demostración visible de su poder.

- Para extender el Reino, el Espíritu Santo necesita un cuerpo humano, disponible, obediente y con un corazón para la guerra. ¡Jehová es varón de guerra!

El desafío está planteado: Usted ¿está dispuesto a cruzar la línea de las palabras a las manifestaciones de poder, a la violencia, para establecer el reino de Dios en la Tierra?

BIBLIOGRAFÍA

Biblia plenitud. Nashville, TN: Editorial Caribe, 1994. ISBN: 0-89922-279-X.

Brown F., S. Driver y C. Briggs. *The Brown-Driver-Briggs and English Lexicon*. 9na ed., Hendrickson, 2005. ISBN: 1-56563-206-0.

El pequeño larousse ilustrado. Barcelona, España: SPES Editorial, S. L. y Ediciones Larousse, S. A., México D.F., 2006. ISBN: 84-8332-709-0.

Jones, E. Stanley. *The Unshakeable Kingdom and the Unchanging Person*. Washington, USA: Editorial Mc Net Press, 1995. ISBN: 0-9645858-4-7.

Maldonado, Guillermo. *El ministerio del apóstol*. 1ra ed. Florida, EUA: ERJ Publicaciones, 2006. ISBN: 1-59272-230-X.

Notas de Alan Vincent acerca del Reino. ©Outpouring Ministries 2005, ©Outpouring Missions International, Inc. 2003. Address: 8308 Fredericksburg Road, San Antonio, TX 78229 Phone: 210-614-9330 Fax: 210-614-5650 http://web.iwebcenters.com/outpouring/ Email: outpouring@outpouringmissions.org

Real Academia Española, *Diccionario de la lengua española*, http://www.rae.es/.

Strong, James. LL.D, S.T.D. *Nueva concordancia Strong exhaustiva*. Nashville, TN–Miami, FL: Editorial Caribe, Inc./División Thomas Nelson Publishers, 2002. ISBN: 0-89922-382-6.

Strong, James. LL.D, S.T.D. *The New Strong's Expanded: Exhaustive Concordance of the Bible*. Nashville, TN–Miami, FL, EE.UU: Thomas Nelson Publishers, 2001. ISBN: 0-7852-4539-1.

Vine, W.E. *Vine: Diccionario expositivo de palabras del antiguo testamento y del nuevo testamento exhaustivo.* Nashville, TN: Editorial Caribe, Inc./División de Thomas Nelson, Inc., 1999. ISBN: 0-89922-495-4.

Young, Brad H. *The Parables Jewish Tradition and Christian Interpretation,* 4ta ed. Massachussets, EUA: Hendrickson Publisher, LLC, 1998. ISBN: 1-56563-244-3.

...expandiendo la palabra de Dios a todos los confines de la tierra

EL PODER DE ATAR Y DESATAR
Guillermo y Ana Maldonado
ISBN: 1-59272-074-9

EL CARÁCTER DE UN LÍDER
Guillermo Maldonado
ISBN: 1-59272-120-6

LA LIBERACIÓN EL PAN DE LOS HIJOS
Guillermo Maldonado
ISBN: 1-59272-086-2

LA UNCIÓN SANTA
Guillermo Maldonado
ISBN: 1-59272-003-X

NUESTRA VISIÓN

...expandiendo la palabra de Dios a todos los confines de la tierra

MANUAL DE ESTUDIO PARA GRUPOS FAMILIARES
Guillermo Maldonado
ISBN: 1-59272-148-6

MANUAL DE VIDA
PARA INTERCESORES
Ana Maldonado
ISBN: 1-59272-226-1

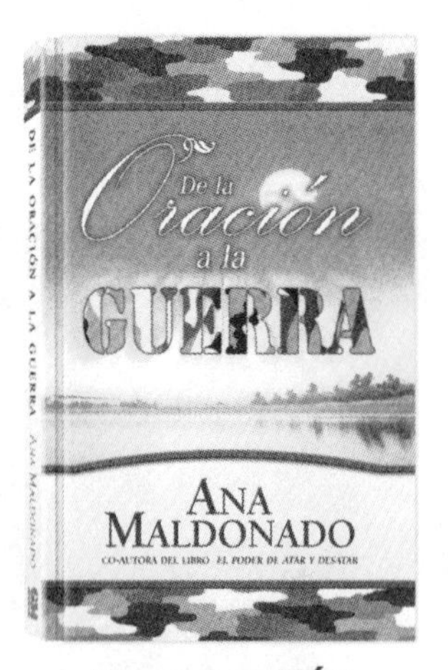

DE LA ORACIÓN A LA GUERRA
Ana Maldonado
ISBN: 1-59272-137-0

DÉBORAS AL FRENTE DE LA BATALLA
Ana Maldonado
ISBN: 1-59272-248-2